KT-487-245

# La increïble història de...

M

Paper certificat pel Forest Stewardship Council®

Títol original: *Robodog*

Primera edició: abril del 2024

Publicat originalment al Regne Unit per HarperCollins Children's Books,
una divisió de HarperCollins Publishers Ltd.



*Printed in Spain* – Imprès a Espanya

ISBN: 978-84-19848-89-5
Dipòsit legal: B-1.799-2024

Compost a Compaginem Llibres, S. L.
Imprès a Rodesa, S. L.
Villatuerta (Navarra)

GT 4 8 8 9 5

David Walliams

La increïble història de...

Il·lustracions
d'**Adam Stower**

Traducció de
**Núria Parés**

montena

*Per al Bert i l'Ernie, les meves dues estimades boletes peludes*

# GRÀCIES

VULL DONAR LES GRÀCIES A...

SALLY GRIFFIN
DISSENYADORA GRÀFICA
ELORINE GRANT
DIRECTORA ARTÍSTICA
MATTHEW KELLY
DIRECTOR ARTÍSTIC
MEGAN REID
EDITORA DE FICCIÓ
GERALDINE STROUD
DIRECTORA DE RELACIONS PÚBLIQUES
TANYA HOUGHAM
AUDIOEDITORA
ALEX COWAN
CAP DE MÀRQUETING
David Walliams

# PRÒLEG

Has sentit a parlar mai d'un gat policia?

NO!

És clar que no!

Perquè això no existeix.

No n'hi ha hagut ni n'hi haurà mai cap.

Els gats policia serien totalment inútils. Perquè els gats no fan res que no tinguin ganes de fer.

Podries ensinistrar un gat a **MIOLAR** a un lladre? No.

Podries ensinistrar un gat a **protegir** unes joies? No és gaire probable.

Podries ensinistrar un gat a perseguir un criminal? De cap manera!

Podries ensinistrar un gat a fer el que sigui? UN NO COM UNA CATEDRAL.

Els gats són mandrosos. Són egoistes. Són maleducats.

Oh! Si us plau, no diguis a cap gat que he escrit això sobre ells. Perquè si ho fas, és probable que algun dia llegeixis que m'he ennuegat misteriosament amb una bola de pèl.

A veure, no estic pas dient que TOTS els gats siguin dolents. Només el noranta-nou per cent.

Els gossos, en canvi, són ben diferents dels gats.

Als gossos els encanta ser servicials. Volen ser estimats. Bàsicament, els gossos fan el que sigui per obtenir un premi.

És per això que els gossos són els companys perfectes per a la policia. De gossos, n'hi ha als cossos de policia d'arreu del món.

Com tothom sap, els gossos poden ser de moltes formes i mides.

Minúsculs. Enormes.

Silenciosos. Escandalosos.

Dèbils. Forts.

Pelats. Peluts.

Lents. Ràpids.

Ara bé, segons el tipus de gos, servirà per a una feina o una altra. Per això els policies ensinistren diverses races perquè els ajudin.

Aquestes són algunes de les races de gossos que pots trobar en una **ESCOLA D'ENSINISTRAMENT DE GOSSOS POLICIA**:

El poderós pastor alemany: perfecte per abatre lladres.

La gossa conillera de morro gran: molt hàbil per seguir els delinqüents fugits.

L'escandalós spaniel: cap gos podria lladrar més fort als dolents.

**BUB! BUB! BUB!**

El llebrer superràpid: la raça més veloç per enviar missatges entre agents de policia.

*FIUUU!*

L'entusiasta *terrier*: sempre orgullós de patrullar per les comissaries.

CLAP-CLAP-CLAP!

El valent **schnauzer**: aquest gos faria qualsevol cosa per protegir el seu company policia.

El **beagle** d'olfacte fi: sap ensumar qualsevol cosa dolenta amagada a les maletes.

Però, i si existís un gos que pogués fer totes aquestes tasques i moltes més? Seria el millor gos policia de la història!

Prepara't per conèixer el ROBO-GOS:

el futur de la lluita contra el crim.

AQUESTS SÓN

# ELS BONS

I

# ELS DOLENTS

D'AQUESTA HISTÒRIA...

# ELS BONS

## EL ROBOT

ROBO-GOS

El Robo-gos és el millor gos policia que s'ha creat mai.

## LA RATA

RATTI

La Ratti té aspecte de rata, fa olor de rata i actua com una rata, però ella insisteix que és un ratolí.

# ELS HUMANS

LA COMISSÀRIA

Aquesta dona tan baixeta ocupa l'alt càrrec de comissària de policia. Supervisa el cos policial de la ciutat de Batibull i té un interès especial en la seva escola de gossos policia.

LA PROFESSORA

La professora és l'esposa de la comissària. És inventora, i es passa tot el dia al laboratori del soterrani de la seva casa de camp gran i antiga, la Mansió Borrissol.

EL GENERAL

El general és el fanfarró cap de l'exèrcit.

## ELS GOSSOS

PORUKI

L'esporuguit.

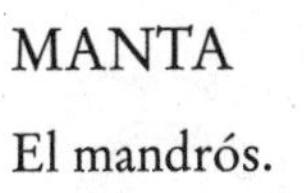

MANTA

El mandrós.

TOIXA

La sòmines.

# ELS DOLENTS

## ELS GATS

VELMA

La Velma pertany a la comissària i la professora, tot i que la gata creu que és a l'inrevés. És a dir, que són elles les que li pertanyen! Odia els gossos amb una profunda passió. Quan un gos entra a la Mansió Borrissol, voleien pèls.

NAFRAT

El Nafrat és la criatura més terrorífica que hagis vist mai. Aquest gat té una cicatriu enorme que li travessa la cara, fruit d'una baralla amb una bandada de llops. Els llops van perdre.

GATUSALEM

Aquest gat de carrer és tan vell que ningú no recorda quants anys té. Ni tan sols ell.

PAVAROTTI

El Pavarotti és el gat més gran del món. S'estima més que el portin en un carretó.

# ELS SUPERDOLENTS

EN SUPERMENT

Aquest criminal de ment poderosa està al darrere de la majoria dels robatoris a la ciutat de Batibull. El seu cos es va morir fa anys, i ara és un megacervell gegantí que flota en un recipient de vidre.

LA MADEMARTELL

La còmplice d'en Superment és una dona baixeta i fornida que té uns martells enormes en comptes de mans. No li fa gens de por fer-los servir.

LA PETANERA EMMASCARADA

La Petanera Emmascarada és una dona que fa pets en forma de bola de foc.

EN BIG BAD BOB

És tan gran com una casa.
No com una casa gran,
però sí com una casa,
en definitiva.

EL XOCOLATER

Vigila amb els bombons de cafè! Són en algun lloc de la seva capsa de selecció de delícies.

LA DOCTORA PUDENT

El seu alè és tan pestilent que, si l'ensumessis, et tornaries de color verd abans de morir-te.

LA REINA DE GEL

Aquesta dolenta de la reialesa et pot convertir en gel tan sols tocant-te amb el dit índex.

EL MONSTRE PESSIGOLLES

És una criatura de braços llarguíssims

que et pot matar de pessigolles.

L'OGRE DELS DOS CAPS

No es posen d'acord en res.

LA DIRECTORA MALVADA

La seva arma secreta són els deures, deures i més deures.

LA POLÍTICA

Et pot fer morir d'avorriment amb una sola frase!

## EL PROFESSOR CALAMARS

Raig de tinta!

## EL CUC GEGANT

És un cuc gegant.

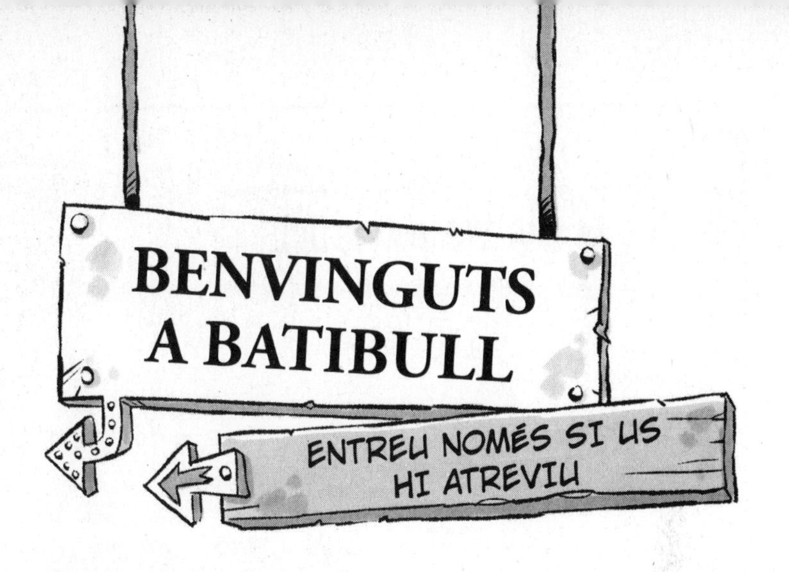


**BATIBULL** és una ciutat on la delinqüència ha sorgit de sota les voreres i s'ha apoderat dels carrers.

És un lloc fred. Fosc. Lleig.

Aquesta jungla urbana infestada de rates no és només immunda, sinó també un dels llocs més perillosos del món. **BATIBULL** s'ha convertit en la llar de tot un univers de gàngsters. Han sotmès la bona gent de la ciutat a un regnat del terror. Res ni ningú es pot salvar d'aquesta colla de malvats criminals.

La ciutat necessita un **superheroi** per derrotar els superdolents.

Però qui?

## MAPA DE BATIBULL

El riu Fangós

La presó de la ciutat

L'oceà

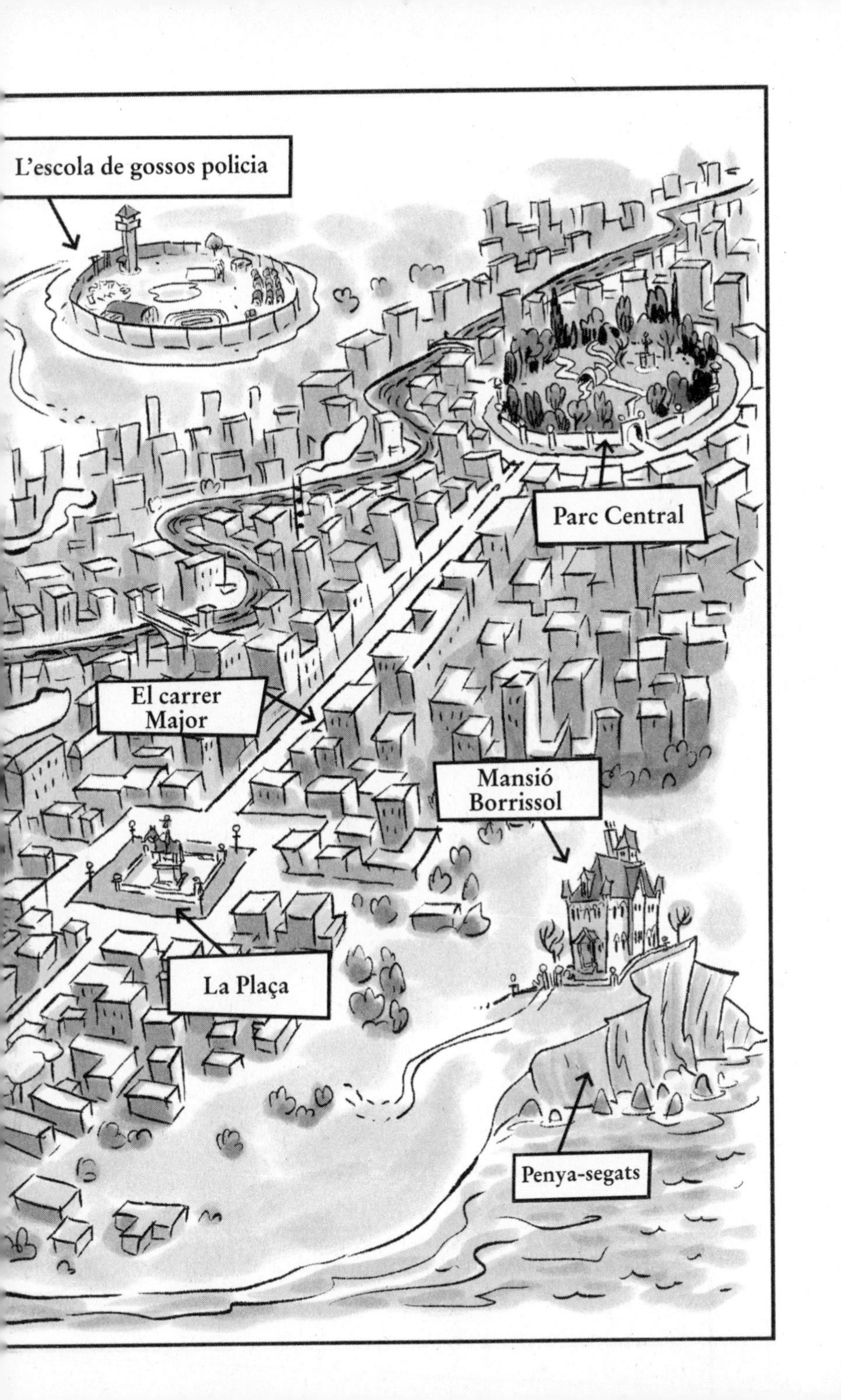
L'escola de gossos policia
Parc Central
El carrer
Major
Mansió
Borrissol
La Plaça
Penya-segats

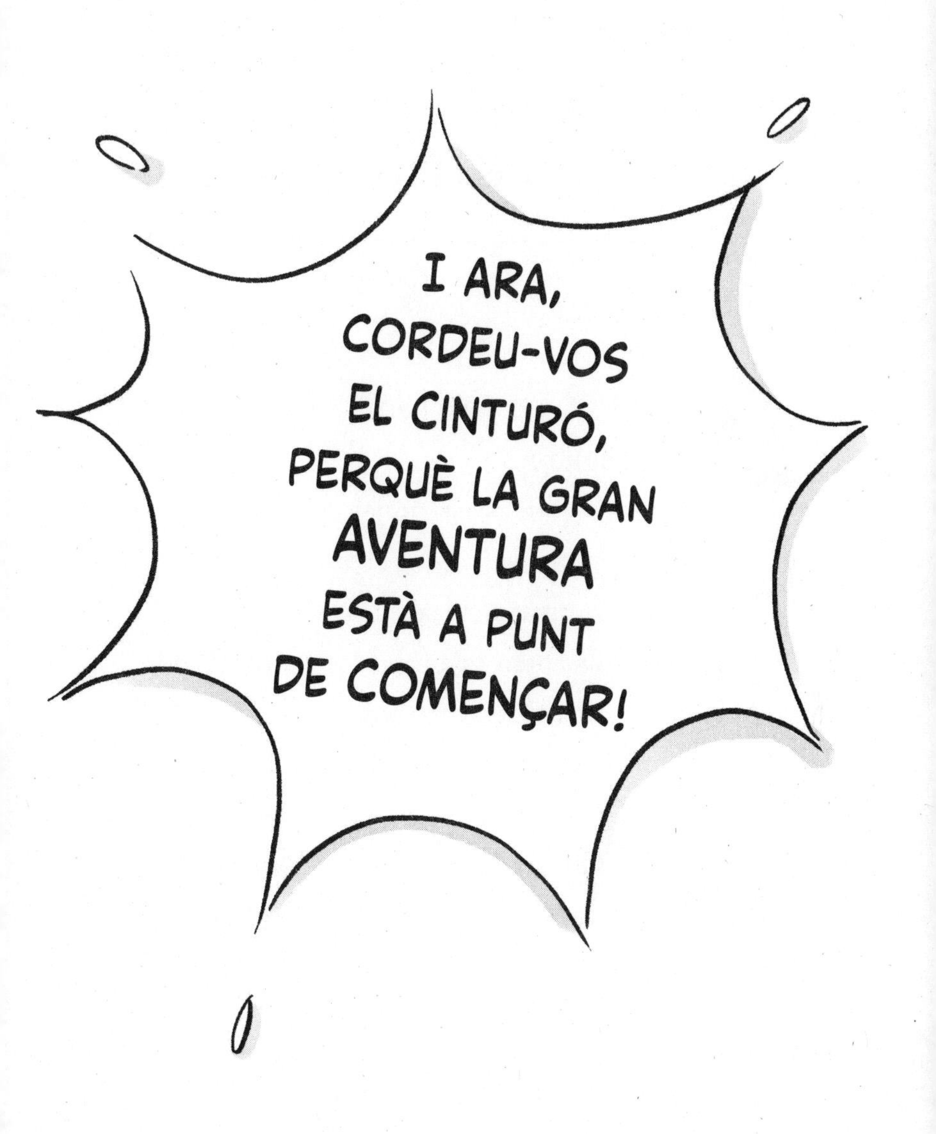
I ARA,
CORDEU-VOS
EL CINTURÓ,
PERQUÈ LA GRAN
AVENTURA
ESTÀ A PUNT
DE COMENÇAR!

CAPÍTOL 4

# LA PATRULLA INÚTIL

**BATIBULL** era ben bé un gra de pus a la cara del món.

Una jungla d'edificis en ruïnes que s'alçaven en carrers estrets, embolcallant-los en una ombra eterna.

Les rates hi campaven al seu aire.

Les deixalles s'apilaven a totes les cantonades.

El riu era d'un color marró fosc.

I una boirina tòxica espessa surava sobre la ciutat com una capa pestilent.

Fa temps, **BATIBULL** havia sigut la ciutat dels somnis de la gent normal i corrent; ara era un lloc de ***MALSONS***.

La presó de la ciutat estava plena a vessar dels criminals més malvats de tots els temps, i tot i així en sorgien constantment de nous. L'última parella de delinqüents que havia omplert les portades de *LA CORNETA DE BATIBULL* havia estat el duo format per en **SUPERMENT** i la seva còmplice, la **MADEMARTELL**.

Aquests només eren els últims d'un llarg reguitzell de titulars.

LA CORNETA DE BATIBULL
LA MADEMARTELL DESTROSSA TOTS ELS COTXES DE POLICIA DE LA CIUTAT
LA CORNETA DE BATIBULL
APAGADA GENERAL A BATIBULL
QUAN LA MADEMARTELL DESTRUEIX LA CENTRAL ELÈCTRICA
LA CORNETA DE BATIBULL
SEGRESTEN UN HÀMSTER I EN DEMANEN UN RESCAT D'UN MILIÓ DE DÒLARS!
LA CORNETA DE BATIBULL
PARELLA PERILLOSA ATRACA UN BANC
LA CORNETA DE BATIBULL
ONADA DE CRIMS A BATIBULL
EL PRESIDENT PROMET ENVIAR-HI L'EXÈRCIT

Potser **BATIBULL** era una ciutat sense llei ni ordre, però no hi faltava l'esperança.

La persona més baixeta del cos de policia també era la més capaç. Quan era petita, ja detenia els abusananos al pati de l'escola. Quan va acabar els estudis, es va unir al cos de policia, i des de llavors havia estat a primera línia en la lluita contra el crim. Ara, la dona ja era gran, i finalment havia arribat a comissària de la policia de **BATIBULL**. La gent l'anomenava sim-

plement «comissària», fins i tot la seva dona, que era una inventora coneguda com la «professora».

Una de les millors idees de la comissària havia estat obrir la primera **ESCOLA D'ENSINISTRAMENT DE GOSSOS POLICIA** de **BATIBULL**. Estava convençuda que els gossos podien ser una arma poderosa per evitar que els delinqüents prenguessin el control de la ciutat. Per començar, havia quedat demostrat que tenia raó. El seu exèrcit de gossos policia, aparellats amb agents de policia, havia portat alguns dels superdolents de **BATIBULL** davant la justícia. Gràcies a aquells gossos tan valents, tots els superdolents ara estaven tancats a la presó. Malgrat tot, cada setmana sorgien més i més superdolents, i a vegades feia la sensació que la policia estava perdent la batalla.

Va ser aleshores quan la comissària va trobar un camp d'entrenament militar desert als afores de la ciutat i el va convertir en una escola per a gossos policia.

**Grans portes d'acer**
Mantenen els gossos a dins i qualsevol gat esgarriat a fora.
**Torre de vigilància**
Els agents de policia fan guàrdia aquí dalt amb focus molt potents per protegir l'escola de qualsevol atac. No se sap mai quan i on poden actuar els dolents de Batibull.
**Pista d'obstacles**
Una veritable prova per a la forma física de qualsevol gos.
**Llac**
Perfecte per practicar intrèpids rescats a l'aigua.
**Cantina**
El lloc preferit de tots els gossos, perquè és on van a menjar!
**Camp d'entrenament**
Utilitzat cada matí per a les temudes curses a trenc d'alba.

Pati d'armes
Igual que els agents de policia, els gossos policia tenen un pati d'armes per desfilar després de completar amb èxit el seu ensinistrament.
Banyera per a gossos
Els gossos representen el cos policial i, per tant, han de tenir bon aspecte.
Arbre
Perquè els gossos tinguin un lloc per pixar.
Gosseres
Aquestes casetes alberguen una dotzena de llits cadascuna. Els jaços són just de la mida d'un gos gran, o dos de petits dormint capiculats.
Cobert
En un extrem del camp d'entrenament hi ha un petit cobert atrotinat. És una cosa patètica, amb una bandera que oneja sempre a mitja asta. La bandera té estampada la frase La Patrulla Inútil.

La **Patrulla Inútil** era el sobrenom del trio de gossos que vivien al cobert.

Els deien així perquè feia anys i anys que eren a l'escola d'ensinistrament, però no aprovaven mai. Aquells tres gossos havien de repetir una vegada i una altra els entrenaments, perquè eren o bé massa esporuguits o massa mandrosos o massa sòmines.

Coneguem-los:

**Poruki**
El Poruki hauria pogut ser un pastor alemany gran i poderós, però era massa esporuguit. El pobre tenia por fins i tot d'una mosca.

**Toixa**
Aquesta gossa conillera era la sòmines, i quan dic «sòmines», vull dir molt sòmines. Era tan sòmines que s'oblidava que era una gossa.

**Manta**
Un beagle. Era el més petit i també el més mandrós. Si el deixaven fer, era capaç de dormir tot el dia.

Els tres membres de la **Patrulla Inútil** eren responsables dels pitjors DESASTRES CANINS del món!

En una ocasió, el Poruki es va amagar a sota d'una cadira i sense voler va començar a fer pessigolles amb la cua al cul de la comissària.

—HA! HA! HA!

O una vegada el Manta va robar una moto de policia per no haver de participar en la cursa de camp a través.

**BRUUUM!**

I tampoc podem oblidar el cop que la Toixa es va pensar que el president, que hi havia anat de visita, era un lladre, i se li va llançar a sobre tirant-lo a terra davant de tota l'escola.

—AAAH!

Així doncs, el terrible trio feia tant de temps que vivia a l'**ESCOLA D'ENSINISTRAMENT DE GOSSOS POLICIA** que ja n'havien perdut el compte, sobretot la Toixa, que amb prou feines recordava el seu nom. Malgrat tot, la comissària tenia moltes esperances que aquest any tots tres aconseguissin passar les proves i, finalment, sortir a patrullar pels carrers de **BATIBULL**. Lluitar contra el crim. Atrapar els dolents. Guanyar medalles grans i lluents per la seva valentia.

Que equivocada que estava.

CAPÍTOL DOS

# UN DESASTRE DE GOSSOS

La nostra aventura comença el matí de la **desfilada de graduació**. Es tractava del gran dia en què, després d'haver completat la formació, els candidats finalment descobrien si havien aprovat i podien fer de gossos policia.

Era un matí emboirat, fred, humit i fosc, com la majoria dels matins a **BATIBULL**.

Malgrat això, tots els gossos s'havien empolainat a la perfecció. Pèl retallat. Urpes arreglades. Dents netes. Potes polides. Culs rentats.

Fins i tot la **Patrulla Inútil** estava presentable.

El Poruki s'havia banyat.

El Manta s'havia llepat una de les urpes.

I la Toixa havia caigut al llac.

Per tant, després de perdre's quan anaven de camí cap al **pati d'armes** no una vegada, ni dues, ni tres...

AIXÒ SERÀ ETERN!

... SINÓ SET VEGADES, la **Patrulla Inútil** finalment va ocupar els seus llocs, juntament amb els altres gossos, per presenciar la desfilada de graduació.

—Ara que ha arribat tothom —va dir la comissària, amb mordacitat, mentre llançava una mirada a les tres últimes incorporacions—, finalment podem començar.

Darrere el faristol, només es veia que sobresortia la punta del barret de la comissària. Potser es tractava d'una dona baixeta, però **era severa** i sabia ferse escoltar.

Barret
Ulls que no
es perden
absolutament res
Cabells
curts i
pulcres
Mirada
intensa
Borles
Guants de pell
Filera de
medalles a la
valentia
Uniforme
impecable
Mitges negres
Sabates
impol·lutes

—Com ja sabeu, la ciutat de **BATIBULL** és la llar d'alguns dels criminals més cruels que s'han vist mai en aquest món. Tot just ahir a la nit, van robar tots els tresors del museu de la ciutat.

La comissària va alçar un exemplar de *LA CORNETA DE BATIBULL*. El titular deia...

LA CORNETA DE BATIBULL

ROBATORI TOTAL AL MUSEU

«ESTIC SEGUR QUE VAM TANCAR LA PORTA», DIU EL DIRECTOR DEL MUSEU

Es va sentir un crit ofegat col·lectiu entre els gossos.

—Per tant, ara més que mai **BATIBULL** necessita gossos com vosaltres per posar-se a la primera línia policial. Ben fet: tots vosaltres heu treballat amb molt d'esforç en la formació al llarg d'aquest any, i esteu a punt de convertir-vos en gossos policia! —va dir la comissària.

Tots els gossos van lladrar, emocionats.

**—BUB! BUB! BUB!**

—Avui no només jo me'n sento orgullosa, sinó que tots vosaltres us hi heu de sentir. Perquè avui és el millor dia de la vida de qualsevol gos. El dia en què finalment esdevindreu membres del cos policial! El fet d'haver superat totes les proves us converteix en els millors dels millors. Per això, tots vosaltres us hauríeu de donar un copet de satisfacció a l'esquena!

Només ho deia en sentit figurat. La comissària no volia dir que literalment s'haguessin de donar copets a l'esquena. I només un gos del **pati d'armes** no era capaç d'entendre-ho.

La Toixa.

La gossa va alçar la pota i va intentar donar-se un copet a l'esquena, però era molt més difícil del que s'havia imaginat. Llavors ho va intentar amb la pota del darrere. Immediatament, va perdre l'equilibri i va caure sobre el Poruki.

PLAF!

El Poruki va caure sobre el Manta.

—AAAH!

I el Manta es va desplomar fent un soroll sord contra el terra.

El beagle va quedar fora de combat.

**PLOF!**

—Ha arribat el moment —va continuar la comissària, ben orgullosa— de pujar un per un a l'estrada, de manera ordenada, perquè us pugui donar la pota i acollir-vos al cos de la policia de **BATIBULL**!

Tot seguit, els gossos es van moure per formar una fila. Ara, el centenar de gossos estaven en formació, a punt per saludar la comissària, tots col·locats a la perfecció com una filera de fitxes de dòmino.

Què podia sortir malament?

Doncs resulta que... TOT!

CAPÍTOL TRES

# UNA MUNTANYA DE PÈL

Quan es va refer després de quedar fora de combat, el Manta es va dirigir cap al final de la cua. Encara una mica marejat, es va entrebancar amb les seves pròpies potes.

**UEEEP!**

El Manta va començar a fer tentines quan s'acostava a la fila. Tenia el cap allà on hauria de tenir el cul, i el cul allà on hauria de tenir el cap. Per tant, no veia on anava. Tampoc és que tingués gaire importància, perquè es movia massa ràpid per poder-se aturar a temps. Es va precipitar sobre el Poruki, que va caure sobre la Toixa, que va caure sobre el gos següent, que va caure sobre l'altre...

Al cap d'un moment, un centenar de gossos queien els uns sobre els altres. Es desplomaven tots cap endavant com una força imparable! ALLÒ ERA UNA ONADA DE GOSSOS!

Morros. Potes. Orelles. Llengües. Urpes. Cues. Panxes. Lloms. Culs. Era un batibull espantós.

—PAREU! —va cridar la comissària quan va veure que aquella onada canina se li acostava ràpidament.

Però els gossos no haurien pogut parar encara que haguessin volgut. En un segon, la comissària va quedar enterrada sota una MUNTANYA DE PÈL!

**PATAM!**

La pila d'un centenar de gossos i una dona era tan alta com la torre de vigilància de l'escola.

**—GUAU! GUAU! GUAU!** —lladraven els gossos mentre intentaven desfer-se els uns dels altres. I a sota d'aquell enrenou, amb un cul davant la cara (no de tipus humà, sinó de tipus caní), hi havia la comissària.

Quan finalment va poder sortir del mig d'aquell desgavell amb un gosset plantat dalt del cap, la dona estava enfurismada.

Tenia la cara vermella de **ràbia** i li sortia fum per les orelles. L'uniforme impecable de la comissària ara estava brut i esquinçat.

—S'HA ACABAT! —va esgaripar la comissària—. ESTEU **TOTS** SUSPESOS! AQUEST ANY CAP DE VOSALTRES ES CONVERTIRÀ EN GOS POLICIA!

Tots els ulls es van girar cap al Manta.

—GRRR! —van grunyir els gossos, enfadats.

El Manta va mirar al seu voltant sense entendre res.

—Que potser he dit alguna cosa ofensiva? —va preguntar amb innocència.

A partir d'aquell moment, la **Patrulla Inútil** va quedar marginada. Tots els altres gossos els culpaven del que havia passat. Ara haurien de fer un altre any de formació.

Allò era una **CATÀSTROFE**.

Els tres membres de la **Patrulla Inútil** van ser objecte de malifetes.

Els mossegaven les orelles.

Els pispaven les llaminadures.

Es pixaven al seu cobert.

Espatllaven les seves joguines.

Bolcaven els seus bols d'aigua.

Els estiraven la cua.

Els rosegaven el collar.

Els feien pessigolles a les urpes.

Els enterraven els ossos.

I el pitjor de tot és que ara tots feien pets al seu menjar!

PRRROP! PRRROP! PRRROP!

T'asseguro que era **fatal**.

—M'ho sembla a mi, o tots els altres gossos estan una mica estranys amb nosaltres? —va preguntar el Manta.

—Sí, són tots tan amables! —va dir la Toixa.

—NO! NO HO SÓN! —va cridar el Poruki—. Ens tracten d'una manera horrible!

Els tres gossos eren al seu petit cobert a l'extrem més llunyà del **pati d'armes**. Com sempre, la trista bandera que deia **La Patrulla Inútil** onejava a mitja asta des d'un pal plantat a la teulada.

—Crec que el meu esmorzar tenia un gust diferent —va mussitar la Toixa.

—Sí! És veritat! Tenia gust de llufa! —va contestar el Manta.

—Es pot comprar una llauna amb aquest gust? —va preguntar la Toixa.

—No! No existeixen llaunes amb aquest gust! —va exclamar el Poruki.

—Quina llàstima —va comentar la Toixa.

—Que no ho entens? —va cridar el Poruki —. Fan pets al nostre menjar! Tots els altres gossos estan fent tot el que poden per fer-nos la vida impossible!

—Per què? —va preguntar el Manta.

—Per culpa teva! —va contestar el Poruki—. Perquè ens vas fer caure a tots i vam acabar embullats com una muntanya de pèl a sobre de la comissària de policia!

—Allò va ser culpa MEVA? —va preguntar el Manta, amb cara d'innocent.

—SÍ!

El Manta es va tapar els ulls amb la pota, va anar fent saltirons fins a un racó del cobert i va caure de costat.

***PLAF!***

Després es va posar a gemegar, perquè sentia molta llàstima de si mateix.

«HMMM!

Poc sabia la **Patrulla Inútil** que el pitjor encara no havia arribat.

CAPÍTOL QUATRE

# EL GAT MÉS MALVAT DEL MÓN

A l'altra banda de **BATIBULL**, la comissària tornava corrents cap a casa amb el seu cotxe de policia. La dona estava tan coberta de pèl que semblava un ieti.

## TROBA LES DIFERÈNCIES

La comissària se sentia humiliada. Allò era inadmissible i no tornaria a passar mai més. La seva ment anava tan ràpid com el cotxe. Hi havia d'haver alguna solució!

Quan va arribar a **la Mansió Borrissol**, la seva gran casa de camp situada a la vora d'un penya-segat, la comissària va cridar la seva dona. Immediatament,

la professora va pujar a tot drap del seu **LABORATORI** i es va posar a treballar amb el corró especial per treure tots els pèls de gos de l'uniforme de la comissària. La professora era una científica i es vestia com a tal.

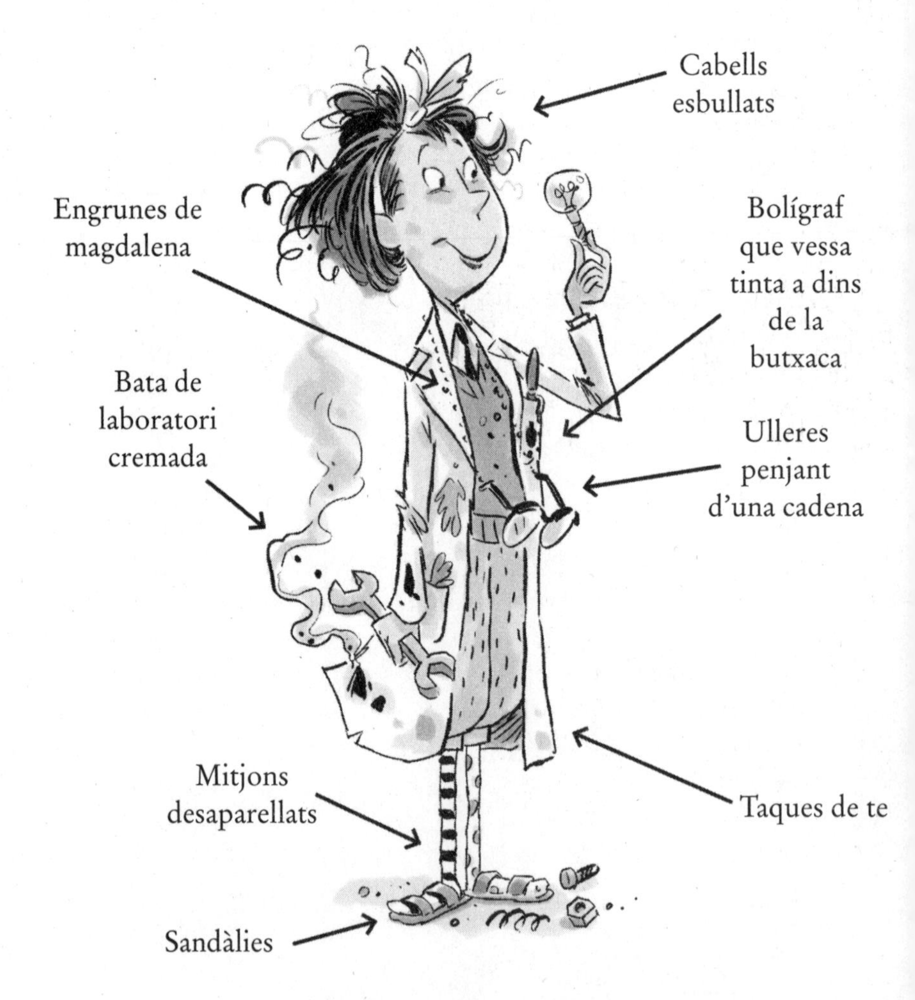

La professora passava els dies tancada al LABORATORI que tenia al soterrani de **La Mansió Borrissol**. Era un mar de tubs d'assaig, cremadors Bunsen i tubs de goma de diferents mides. La professora s'havia fet famosa perquè havia inventat una rentadora estupenda que només trigava un minut a rentar i eixugar la roba. Tot i així, continuava treballant per intentar idear una cosa més gran i millor.

—Una mica més. Una mica més. Una mica més —deia la professora amb cada passada del corró.

—Així no acabarem mai! —li va etzibar la comissària, encara coberta d'una espessa capa de pèl.

—Estigues quieta!

—Però si no m'he mogut! L'únic que fas és remoure els pèls.

—No! No és veritat! Mira! —va exclamar la professora. Va alçar el corró, que ara semblava una **enorme** piruleta de pèl.

—Aaah! —va remugar la comissària.

Des del sofà, la Velma observava l'escena amb desdeny. La Velma era una gata, o més aviat una gran bola de pèl gris amb quatre potes i una cua. Com la majoria dels gats, la Velma manava a la casa que compartien les dues dones.

I aquesta gata **odiava** els gossos.

Els gats i els gossos han sigut enemics des de l'albada dels temps, però la Velma era diferent. La Velma era la gata **més malvada** del món. Volia eliminar els gossos de la faç de la terra per sempre més. La Velma es passava el dia ajaguda sobre el mur del jardí, esperant que passés algun gos pel carrer. Quan en

passava un, aplegava la bola de pèl més gran i més rodona que era capaç de fer i la disparava contra el gos com si fos un míssil.

Després feia una rialleta ensenyant els ullals, i els gossos marxaven corrents i espantats, gemegant.

—AUUU!

La Velma era una gata intel·ligent. Sabia distingir els pèls de gos quan en veia, i no tenien cabuda a casa SEVA. Per tant, va esperar i esperar fins que la professora va alçar el corró ple de pèl i va triar aquell moment per fer un esternut com un huracà.

—ATXIIIIIIIIIIM!

L'esternut va ser tan potent que la massa de pèl es va desprendre del corró i va anar a parar a la cara de la professora.

*FIUUU!*

Semblava que s'hagués convertit en una dona llop.

—HE! HE! HE! —va riure la gata.

—He estat pensant —va començar la comissària.

—Que estrany —va dir de broma la professora, mentre es treia els pèls de la cara un per un.

Les dues dones havien estat juntes durant tota la seva vida adulta. S'estimaven profundament, però això no els impedia de burlar-se l'una de l'altra de tant en tant. Més aviat feia que s'estimessin encara més.

—Aaah! —va tornar a remugar la comissària.

—Va, continua...

—Quan estava colgada d'aquella muntanya de gossos, he tingut una idea.

—Oh! Explica-me-la, si us plau!

—Com ja saps, al cos de policia tenim diferents races de gossos per fer diferents feines.

—És clar.

—Però, per què no podem tenir un sol gos per fer-les totes?

—Perquè no hi ha cap gos al món que pugui ser un gos rastrejador, i ALHORA un gos guardià i ALHORA un gos de persecució!

—No. De moment! Però tu podries fer-ne un.

—Jo?

—Sí. Ets una científica, oi, professora?

La professora es va mirar la seva bata blanca de **LABORATORI**, els mitjons desaparellats i les sandàlies.

—Bé que ho sembla!

—Doncs la idea que he tingut és que podries dissenyar i construir un gos policia robot!

—Un què? —va exclamar la professora.

—Quina barra! —va xiuxiuejar la Velma per si mateixa—. Però quina barra! Un gos! A la casa d'un gat! AIXÒ MAI!

—Un gos policia robot! —va repetir la comissària—. Un gos que rastregi i vigili i persegueixi, i faci totes les coses que pot fer un gos policia i moltes més. I podem posar-li... ROBO-GOS!

La professora no s'ho podia creure.

—Jo faig rentadores! No gossos robot!

—Bé, més o menys és el mateix, no? —va suggerir la comissària.

—Deixaries que un gos et rentés les calcetes?

—No.

—Si llances un bastó, creus que una rentadora sortirà corrents a buscar-lo?

La comissària ho va rumiar uns instants abans de contestar:

—No.

—Doncs això vol dir que no és el mateix, oi? —va replicar la professora, plegant els braços.

La comissària va fer una pausa i va somriure. Hi havia d'haver alguna manera de convèncer l'amor de la seva vida.

—D'acord, no és exactament el mateix, però ets tan genial, estimada professora, que estic segura que ho pots fer!

—Però...

—Aquest matí mateix m'ha trucat el president per dir-me que si no aconsegueixo eliminar definitivament l'onada de delinqüència que patim a **BATIBULL**, m'enviarà l'exèrcit.

—L'exèrcit?!

—Sí, és humiliant! —va dir la comissària—. M'hi he deixat la pell i fins i tot els ossos, en aquesta ciutat.

—Ningú ha fet més en la lluita contra el crim que tu.

—Així doncs, m'ajudaràs, estimada meva? **BATIBULL** et necessita!

La professora va sospirar.

—Faré el que pugui.

La comissària la va abraçar.

—T'ESTIMO!

CAPÍTOL CINC

# EL LABORATORI SECRET

La professora va baixar corrents per la llarga escala de cargol que conduïa al soterrani de la casa. Allà, al seu **LABORATORI** secret, es va posar a treballar de seguida.

Dissenyant. Construint. Programant.

Com que la professora havia creat la rentadora més ràpida del món, tenia milers de peces que li havien sobrat per fer un nou invent.

Botons
Interruptors
Cinturons
Tubs de goma
Femelles
Cargols
Plaques de vidre
Làmines de metall
Cables
elèctrics
Plaques
de circuits

Si li faltava res, com ara armes, per exemple (les rentadores en principi no necessiten míssils), enviava la comissària a buscar-ho.

Malgrat que era una inventora magnífica, la professora no havia fet mai cap robot, i encara menys un gos robot, o exactament un gos policia robot. No obstant això, excel·lia en la seva tasca. Treballava dia i nit en el nou invent.

Van passar dies.

Van passar setmanes.

Van passar mesos.

Sovint, quan la professora estava d'esquena, la Velma s'esquitllava al **LABORATORI**. Amagada entre ombres, la gata observava en silenci aquella dona treballant mentre muntava totes les peces amb precisió.

—Destrossaré aquest gos robot encara que sigui l'última cosa que faci! —mussitava la Velma.

Un dia, quan la professora tornava del lavabo, la Velma va passar volant pel seu costat escales amunt.

—VELMA! —va cridar la professora, que va estar a punt de caure per culpa d'aquella bola de pèl esverada.

Però la gata no es va aturar ni va fer cap so. Li va semblar que la Velma duia alguna cosa a la boca, però anava tan ràpid que era impossible saber-ho.

Mentrestant, la pressió augmentava sobre la comissària. **BATIBULL** era cada cop més salvatge. En **SUPERMENT** i la **MADEMARTELL** sembraven el terror a la ciutat amb la seva onada de crims.

LA CORNETA DE BATIBULL

GRATACELS ROBAT!

EN SUPERMENT EXIGEIX UN RESCAT PER BATIBULL

LA CORNETA DE BATIBULL
ELS ROBATORIS AUGMENTEN UN TRILIÓ %! EN SUPERMENT I LA MADEMARTELL EN SÓN ELS RESPONSABLES
LA CORNETA DE BATIBULL
BATIBULL, EN ALERTA VERMELLA
EL DUO MALVAT CONTINUA EN LLIBERTAT
LA CORNETA DE BATIBULL
HAS VIST AQUEST CERVELL?
NINGÚ SE SALVA D'AQUEST CERVELL FASTIGÓS I DE LA SEVA AMIGA, TAMBÉ FASTIGOSA

Finalment, va arribar el moment en què la professora estava preparada per mostrar la seva creació. Era mitjanit quan va acabar de construir el Robo-gos. Va córrer escales amunt per despertar la seva dona, que dormia profundament al llit amb la Velma ajaguda sobre el seu cap.

—DESPERTA'T! —va cridar la professora, sacsejant la dona.

«FFF!», va fer la Velma mentre s'apartava del cap de la comissària.

La comissària va obrir els ulls i va agafar el rellotge de la tauleta.

—És mitjanit! Que algú ha destrossat **BATIBULL** completament? Si no és el cas, sigui el que sigui pot esperar fins demà al matí!

—No! —va exclamar la professora—. He acabat! Vine a veure-ho!

I tot seguit, la professora va arrossegar la comissària, que duia el seu pijama de ratlles, escales avall.

La Velma les seguia a una distància prudent.

Quan la professora i la comissària van arribar al soterrani, la professora va treure un llençol de sobre la seva creació com si fos un mag i va cridar:

—TATXÍN!
ET PRESENTO EL...
**ROBO-GOS!**

La comissària va esbatanar els ulls meravellada mentre observava el gos robot.

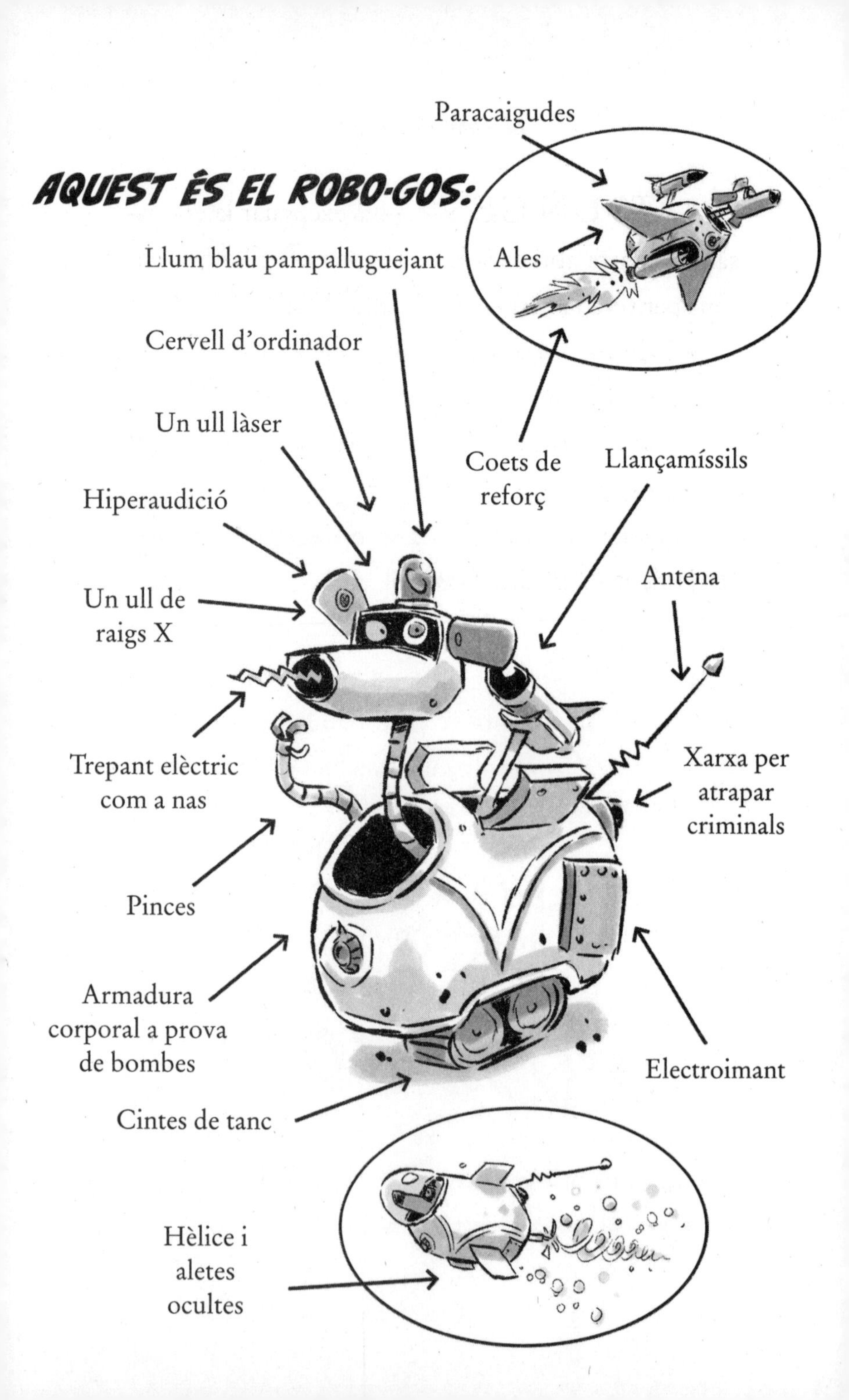
Paracaigudes
AQUEST ÉS EL ROBO-GOS:
Llum blau pampalluguejant
Ales
Cervell d'ordinador
Un ull làser
Coets de reforç
Llançamíssils
Hiperaudició
Antena
Un ull de raigs X
Trepant elèctric com a nas
Xarxa per atrapar criminals
Pinces
Armadura corporal a prova de bombes
Electroimant
Cintes de tanc
Hèlice i aletes ocultes

—ETS UN GENI! —va exclamar la comissària, mentre abraçava la seva dona i li plantava petons per tota la cara—. Muà! Muà! Muà!

—Calma't! —va replicar la professora.

—Però que no ho veus? El Robo-gos podria ser la resposta a totes les meves pregàries! No només pot substituir els meus problemàtics gossos policia, sinó que també es pot enfrontar amb els superdolents de **BATIBULL**!

CAPÍTOL SIS

# L'IMPENSABLE

La professora i la comissària es van quedar mirant el gos robot com dues mares orgulloses.

—Ho has aconseguit! —va dir la comissària.

—Ho HEM aconseguit! —va exclamar la professora.

—Sí! Suposo que el Robo-gos va ser idea meva, però no l'hauria pogut fer realitat sense tu, estimada!

La professora va posar els ulls en blanc i va somriure.

Mentrestant, des del capdamunt de les escales de cargol, la Velma les espiava.

—FFF!

La gata considerava la comissària i la professora, en el millor dels casos, hostes no convidades a casa SEVA, i en el pitjor dels casos, ocupes. I ara havien fet l'impensable! Havien dut un GOS a casa SEVA!

La gata sempre feia cara d'estar de mal humor, però en aquell moment la seva expressió era tan sorruda que hauria pogut trencar un mirall!

Tenia les orelles dretes.

Els ullals ***lluents***.

Les fosses nassals **acampanades**.

Les urpes enfora.

La cua tan rígida que l'hauries pogut fer servir de regle.

—Vols que l'engeguem, r-r-reina? —va preguntar la professora, amb les mans tremolant-li d'emoció mentre assenyalava el botó.

—Per què estàs n-n-nerviosa?

—He creat vida! Això no és una rentadora, és una cosa que pot pensar!

La comissària va quedar en silenci uns instants.

—I és noi o noia?

—Noi!

—Ah! I té sentiments també?

—No ho sé —va contestar la professora—. No li he posat **cor**.

—Així, no té sentiments?

Una expressió de preocupació va travessar la cara de la professora.

—Potser ha sigut una mala idea. Potser no l'hauria d'haver fet.

—Ximpleries!

—Em fa patir el moment d'engegar-lo. Activem-lo juntes.

—Fantàstic! Tu primera!

La professora va brandar el cap.

—Juntes!

Van unir les mans i van acostar els dits cap al botó com si fossin una de sola.

**BARRABUM!**

Al principi no va passar res.

Llavors, al cap d'un moment, es van començar a sentir *clics* i grinyols a l'interior del robot.

Després, se li va obrir un ull. I tot seguit, l'altre.

Va moure el nas.

Va obrir la boca.

I finalment va agitar la cua.

De cop i volta, la cinta de tanc va començar a girar.

*ZIUUU!*

El Robo-gos anava a tot drap pel **LABORATORI**, va xocar contra una taula…

… va tombar una cadira…

… i després va anar directe contra una paret.

PAF!

—Està fora de control! —va cridar la comissària.

—ERROR! ERROR! ERROR! —va pronunciar el Robo-gos.

—HE! HE! HE! —va riure la Velma per sota el nas.

CAPÍTOL SET

# DETINGUT

—ATURA'L! —va cridar la professora, mentre veia com es destruïen alhora el seu gran invent i el LABORATORI.

**PIM! PAM! PATAM!**

—ERROR! ERROR! ERROR! —anava repetint el Robo-gos.

—Com vols que l'aturi?! —va exclamar la comissària.

—No ho sé! Ets tu la comissària de policia! Detén-lo!

—Que el detingui? És un robot!

—HE! HE! HE! —reia la gata observant el caos que havia causat—. Aquest estri serà a les escombraries abans que es faci fosc!

Tanmateix, la Velma estava a punt de rebre el seu escarment, perquè el Robo-gos es va girar cap a l'escala de cargol a la velocitat d'una muntanya russa.

FIUUU!

CLONC!

L'escala va trontollar violentament i la gata va perdre l'equilibri.

—MEU! —va cridar mentre queia en picat.

*ZIU!*

La Velma va caure just a sobre el llom del Robo-gos.

Va treure les urpes de cop.

CLINC! CLINC! CLINC!

—EL ROBO-GOS ESTÀ PATINT UN ATAC FELÍ! —va exclamar el robot.

La Velma va intentar clavar les urpes al llom del Robo-gos. Malgrat que estaven més afilades que un ganivet, no tenien res a fer amb aquella carcassa de metall a prova de bombes. Era impossible agafar-s'hi!

La Velma no parava de relliscar, mentre el gos robot donava voltes sobre si mateix intentant agafar-se la cua.

*ZIUUU!*

Al cap de poc eren una mena de taca borrosa.

*FIUUUU!*

—GAT! QUEDES DETINGUT! —va lladrar el Robo-gos amb la seva veu mecànica—. GAT! QUEDES DETINGUT! GAT! QUEDES DETINGUT!

Totalment fora de control, va xocar contra un tamboret i la Velma va sortir disparada.

**—MEU!**

La gata va volar en l'aire...

*FIUUU!*

... i va aterrar dins d'una paperera.

**—MEU!**

La Velma va xiuxiuejar **enfurismada**.

Va sortir de la paperera i es va enfilar a una taula. Es va espolsar les restes de brutícia i tot seguit es va llançar sobre el gos robot en un veritable ATAC DE KUNGFU!

**—MEU!**

Quan era a mig fer el salt, el Robo-gos es va girar de cul al gat.

–GAT! NO ET MOGUIS! QUEDES DETINGUT!

La Velma va quedar confosa uns instants. A veure, és ben normal. És una mica complicat no moure't quan estàs volant en l'aire.

I llavors...

ZAS!

... una xarxa va sortir disparada del cul del Robo-gos!

L'únic que la professora i la comissària podien fer era contemplar tot aquell horror.

La xarxa va anar a petar sobre la gata voladora i la va embolcallar.

Va caure en picat com un roc i va picar contra el terra amb un COP SEC!

—**MEU!** —va cridar la Velma mentre bregava per alliberar-se'n. Però com més s'hi esforçava, més s'entortolligava la xarxa. Al cap de poc, era tot un embolic.

**FFF!**

La Velma es va ficar la seva pròpia cua a l'ull.

—AUUU! —va xisclar.

Es va clavar un cop a la barbeta amb una pota...

—UFFF!

... abans que el morro acabés aixafat contra el seu propi cul.

—AAAH!

Mentrestant, el Robo-gos donava voltes al seu voltant a tota velocitat.

—GAT! QUEDES DETINGUT! GAT! QUEDES DETINGUT! GAT! QUEDES DETINGUT!

—APAGA AQUEST MALEÏT APARELL, REINA! —va cridar la comissària mentre intentava esquivar el Robo-gos per poder desenredar la gata de la xarxa.

—ÉS EL QUE PROVO DE FER! —va contestar la professora, perseguint el seu invent.

Ara el Robo-gos es movia de manera tan anàrquica que era impossible atrapar-lo.

—SI US PLAU! T'HO SUPLICO! ATURA'T! —va cridar la professora, mentre veia com arrasava el LABORATORI. Rentadores noves i velles van quedar destrossades.

BARRABUM!

Es van bolcar a terra.

CATACLONC!

Només hi havia una solució. Quan va veure que el Robo-gos se li acostava a tota velocitat, la professora va saltar sobre el seu llom.

—SOM-HI!

**HOP!**

Malgrat el seu pes, no hi havia manera d'aturar el robot. Ara la professora estava fent surf! Feia surf sobre un gos robot, amb els genolls flexionats, els braços estesos per mantenir l'equilibri i els ulls esbatanats, que revelaven la POR que tenia!

—NOOO-OOOOOO!

—va esgaripar.

Mentrestant, la comissària encara mirava de desenredar la gata de la xarxa.

—ESTIGUES QUIETA, VELMA!

Com més s'esforçava a ajudar-la, més forcejava la Velma.

**—MEU!**

Ara totes dues rodolaven pel terra del LABORATORI.

Des d'una banda i l'altra de la sala, les mirades de la comissària i de la professora es van trobar. Totes dues eren conscients del que estava a punt de passar, però cap de les dues podia fer res per evitar-ho.

Estaven a punt de XOCAR!

Es va produir la col·lisió...

... i van sortir expulsats cadascun a un extrem del LABORATORI.

BUF!

PLOM!

TUM!

CLANC!

El Robo-gos va acabar de panxa enlaire, com una tortuga a l'inrevés.

—GAT! QUEDES DETINGUT! GAT! QUEDES DETINGUT! GAT! QUEDES DETINGUT!

La cinta de tanc que li feia de potes encara funcionava.

*ZIUUUU!*

La comissària va travessar l'estança de quatre grapes i finalment va poder desactivar el Robo-gos.

—GAT! QUEDES DETING...!

*CLONC!*

Mentrestant, la professora es va arrossegar cap a la gata i amb unes tisores va tallar la xarxa que l'atrapava.

**—MEU!**

La malvada criatura va recompensar la seva propietària amb una forta esgarrapada a la mà.

RAAAC!

—AUUU! —va cridar la professora.

—Què passa? —va preguntar la comissària, que s'hi va acostar corrent.

—La Velma m'ha esgarrapat! —va contestar, ensenyant-li la mà com a prova—. M'ha fet sang i tot!

—**GATA DOLENTA!**

La Velma va treure les urpes i va fer: «FFF!».

Tot seguit, per demostrar que no només era dolenta, sinó **MALVADA**, la gata va mossegar l'orella de la comissària.

El dolor va ser insuportable, el màxim en una escala de deu.

—AAAHHH! —va esgaripar la comissària, tal com cridaries tu si un gat et mossegués l'orella.

La Velma va marxar escopetejada per l'escala de cargol, i la professora i la comissària es van quedar soles al **LABORATORI**.

—El Robo-gos és més aviat una amenaça que no pas un gos de debò —va rondinar la comissària—. Val més que el venguis com a ferralla!

—No! No! No! —va suplicar la professora—. Només hi ha hagut un petit problema.

—Jo diria un gran problema! Un problema enorme! Un problema gegantí!

—Li faltava una petita peça al cervell.

—Més aviat li faltava el cervell sencer!

—Aquesta peça és la que controla el seu comportament. He de desmuntar el Robo-gos per veure què ha passat.

—No puc permetre que aquesta cosa sembri el caos a la ciutat! Ja hi ha prou caos a **BATIBULL**!

—Ja ho sé! Et prometo que aviat aconseguiré que el Robo-gos funcioni a la perfecció.

—Mmm... —va fer la comissària, gens convençuda.

—FFF! —va fer la Velma des del capdamunt de les escales.

La relació entre gata i gos havia tingut un inici terrible.

## CAPÍTOL VUIT

# LA CAIXA DE SORRA

Així doncs, aquella nit la professora va desmuntar el Robo-gos per veure què havia fallat tan desastrosament. I quan va examinar l'ordinador que feia de cervell del robot, va comprovar que les seves sospites eren correctes. Allà hi faltava una peça important. El més estrany era que la professora recordava perfectament que l'hi havia col·locat. Potser havia caigut quan el Robo-gos s'havia descontrolat. No obstant això, va regirar el **LABORATORI** de dalt a baix buscant la peça i no la va trobar.

Derrotada, va pujar l'atrotinada escala de cargol que duia a l'interior de la casa.

—Necessito un cafè! —va mussitar.

Mentre entrava a la cuina com una zombi, per culpa de la falta de son, es va entrebancar amb la caixa de sorra de la Velma.

POC!

Les petites boletes de sorra van sortir volant en l'aire.

Tanmateix, entremig d'aquell garbuix gris, alguna cosa va brillar sota la llum i va caure al terra de la cuina amb un CLINC!

Intrigada, la professora es va ajupir per examinar aquell tresor diminut. Enterrada entre la sorra hi havia exactament la peça del cervell del Robo-gos que ella havia estat buscant fins ara! Una petitíssima placa de circuits crucial que regulava el comportament del gos robot.

—Com dimonis ha anat a parar a la caixa de sorra de la Velma? —es va preguntar la professora—. Velma?

La gata no va fer ni un soroll. Tornava a estar amagada entre les ombres, espiant la professora, aquesta vegada des de dalt d'un armari de la cuina.

—Oh, no! Ha descobert el meu secret! —va mussitar la Velma.

Havia robat la placa de circuits dies enrere en un acte de SABOTATGE! Després d'espiar la professora mentre treballava, la Velma sabia que el Robo-gos era un invent molt complex. Estava fet de milers de peces minúscules, totes encaixades de manera intricada. Si una d'aquelles peces faltava, sabia que el Robo-gos FUNCIONARIA MALAMENT. I això, és clar, era exactament el que havia passat.

—Però penso VENJAR-ME d'aquest quisso de metall!

La professora es va aixecar de terra amb la peça a la mà i va córrer de nou cap al LABORATORI.

—EUREKA! —va exclamar.

Amb les mans tremolant-li d'emoció, la professora va tornar a muntar el Robo-gos. Amb la precisió d'un cirurgià, va col·locar la placa de circuits que faltava al lloc exacte que li corresponia. Tot seguit, va respirar fondo i va **engegar** el Robo-gos.

CLIC!

Sembraria el caos altra vegada, el seu meravellós invent?

El Robo-gos va tornar a cobrar vida.

Va moure el nas.

Va remenar la cua.

**BOING!**

—Em dic Robo-gos —va començar—. Benvingut al futur de la lluita contra el crim. Quines són les teves ordres, si us plau?

La professora va somriure, plena de satisfacció. Era perfecte!

Al capdamunt de l'escala, la Velma ja tornava a espiar.

—Aquesta cosa...! —va xiuxiuejar—. A casa MEVA! Et penso destruir, Robo-gos! Et destrossaré, encara que sigui l'última cosa que faci!

Llavors, la gata va deixar anar una rialleta. No és pas que el que hagués dit fos graciós, al contrari. Però havia vist fer-ho als dolents de les pel·lícules, i li va semblar que era el més adequat en aquell moment.

—HA! HA! HA!

Però va riure una mica massa fort i va expulsar una bola de pèl.

PUF!

El soroll va alertar el Robo-gos, que va alçar el cap i va mirar amunt.

—Un gat! —va dir quan va veure la Velma—. Estic programat per estimar els gats! Em dic Robo-gos! Com et dius tu, si us plau?

—Velma! I jo no estic programada per estimar els gossos!

—Estic segur que podrem ser amics! —va contestar el robot.

La professora s'ho mirava. No podia entendre què s'estaven dient, però estava encantada que conversessin.

—Ai, que contenta que estic que us entengueu tan bé! Tinc tantes ganes d'explicar-ho a la comissària!

La professora va córrer escales amunt, i va deixar els dos animals sols.

—Encantat de coneixe't, Velma! —va dir el Robogos—. Com est...

—Adeu, Robo-gos! —va contestar la Velma.

Dit això, la gata va sortir d'un salt del **LABORATORI** i va tancar la robusta porta de fusta darrere seu.

*PAM!*

Hi havia la clau al pany i es va afanyar a fer-la girar...

CLIC!

... i se la va empassar.

GLUP!

—Adeu per sempre més! —va xiuxiuejar la Velma.

Però tot seguit va veure un raig de llum vermell a través de la porta. Al cap d'uns instants, el perfil d'un gos robot va quedar retallat a la porta i la forma ardent va caure a terra.

El Robo-gos va passar a través del forat, amb el seu ull làser **encara vermell**.

—Quin joc més divertit, Velma! —va exclamar tot content—. A què juguem, ara?

—**FFF** —va fer la gata.

CAPÍTOL NOU

# UN GOS VOLADOR

Després del que havia passat la primera vegada que el Robo-gos havia cobrat vida, la comissària va insistir que l'havien de posar a prova a **L'ESCOLA DE GOSSOS POLICIA**. Malgrat que la professora no parava d'assegurar que el seu invent estava llest per entrar en funcionament, la comissària no va baixar del burro. No permetria de cap manera que aquest gos robot rondés pels perillosos carrers de **BATIBULL** sense haver-lo provat i comprovat correctament.

Per tant, totes dues van sortir de ***la Mansió Borrissol*** enmig d'un silenci absolut, amb el cotxe de policia de la comissària i el Robo-gos assegut al darrere.

—Com t'he d'anomenar? —va preguntar el Robo-gos, mirant la professora—. Ets la meva mare?

La professora no sabia què contestar, o sigui que la comissària se li va avançar.

—NO! —li va etzibar—. A ella li has de dir «professora» i a mi, «comissària».

—Bon dia, comissària. Bon dia, professora.

—Bon dia, Robo-gos! —va contestar la professora.

La comissària només va sospirar.

La professora va acariciar la seva creació.

—Bon noi! —va dir.

La comissària va brandar el cap amb incredulitat.

—Què passa? —va preguntar la professora.

—Ja ho saps!

—No, no ho sé!

El cotxe va travessar de pressa la ciutat abans de passar a tot drap per les portes de **L'ESCOLA DE GOSSOS POLICIA**.

—De moment, tu queda't aquí darrere dels barracons amb el Robo-gos —va ordenar la comissària.

—Sí, senyora —va contestar la professora, fent una salutació irònica a la seva dona.

A la comissària no li va fer gens de gràcia.

—Primer diré unes paraules i després et faré un senyal perquè entri el Robo-gos!

—Pot fer una entrada triomfal? —va preguntar la professora.

—No gaire triomfal, si us plau! No vull esverar els gossos!

—És clar! —va contestar la professora, mentre d'amagat picava l'ullet al Robo-gos.

Quan la comissària va marxar fent grans gambades, la professora es va inclinar per acariciar el seu invent.

—Qui ho diu que no et puc acariciar?

El Robo-gos va arquejar el coll metàl·lic per gaudir al màxim de les pessigolles a les orelles.

—Ho notes això? —va preguntar ella.

—Sí.

—Què sents?

—No ho sé.

—Que ximpleta que soc! —La professora va enretirar la mà.

—Professora?

—Sí.

—Ets la meva mare?

La professora es va remoure incòmode dins les seves sandàlies. Abans que pogués respondre...

DRING!

... la campana la va salvar!

Aquell era el senyal perquè tots els gossos anessin al **pati d'armes**.

Com sempre, la **Patrulla Inútil** va ser l'última d'arribar-hi.

La professora i el Robo-gos van continuar amagats mentre la comissària s'enfilava en una caixa per adreçar-se al centenar de gossos.

—A veure, després del fiasco de la **desfilada de graduació** d'aquest curs passat... —va començar la dona.

—Jo no sé pas de què parla —va comentar la Toixa.

—XXXT! —van fer els altres gossos, empipats.

—... he decidit introduir una nova raça a les files de gossos policia —va continuar la comissària.

Es va produir una onada de murmuris de tots els gossos.

**—BUB!**

Una nova raça de gos? Què volia dir amb això?

—Un gos que pot fer totes les tasques d'un gos policia, i moltes més!

Ara es van sentir crits ofegats!

**—BUB!**

—Un gos que algun dia podria deixar-vos a tots sense feina!

On anirem a parar! Els gossos ja no podien controlar la seva consternació ni un segon més! Tots es van posar a udolar.

***—AUUUUUUUUU!***

—SILENCI! —va cridar la comissària.

**—*AUUUUUUUUUUUUU-UUUUUUUUUUUUUU!***

Un agent de policia va donar un megàfon a la comissària.

—SILENCI! —va ordenar.

Finalment, els gossos van callar.

—I ara, ha arribat el moment de conèixer el futur policial: un gos policia que espero que pugui eliminar els crims d'aquesta ciutat maleïda de **BATIBULL** per sempre més! US PRESENTO EL ROBO-GOS!

Tots els gossos van mirar a dreta i esquerra per veure aquell supergós, però no era enlloc.

Llavors, es va sentir un ZIU ENORME al cel.

De sobte, cent parells d'ulls van mirar cap amunt.

Un gos de metall havia sortit disparat cap al cel!

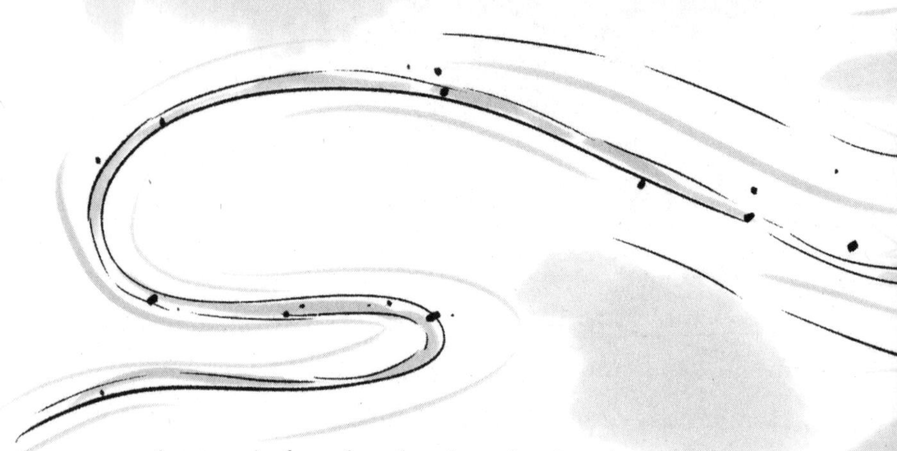

Ara tenia les ales desplegades i volava entremig dels núvols.

La professora se'l mirava tota orgullosa.

Els gossos es van quedar bocabadats i la llengua els arribava a terra.

UN GOS VOLADOR!

Però ningú semblava més astorat que la **Patrulla Inútil**.

—Què és això? —va preguntar la Toixa.

—És un ocell? O un avió? —va suggerir el Manta.

—Sembla una mena de gos —va contestar el Poruki.

—Doncs quin gos més estrany —va comentar el Manta.

—Ja ho sé! —va exclamar la Toixa—. Sembla una rentadora! Però les rentadores no saben volar, oi?

Per ser justos, el Robo-gos efectivament semblava una petita rentadora voladora. Al capdavall, estava construït amb peces de sobres.

—Mira que ets beneita! Què vols que hi faci una rentadora, a dalt del cel? —va preguntar el Poruki.

—Un cicle de rentat molt ràpid? —va suposar la Toixa.

El Robo-gos va descendir cap al **pati d'armes**, i va passar com un llamp per sobre dels gossos reunits amb un aire força presumit.

Va fer un aterratge perfecte.

La professora va començar a aplaudir amb entusiasme.

—ENDAVANT, ROBO-GOS! ENDAVANT! ENDAVANT! —cridava mentre ballava i picava de mans com una animadora.

—Professora, si us plau! —la va renyar la comissària—. Controla't!

—Ai, perdó.

Les ales del Robo-gos es van plegar dins

del seu cos. Llavors, la cinta de tanc que li feia de potes va començar a funcionar, i es va col·locar tot cofat al costat de la comissària.

—Bon dia, comissària de policia! —va dir, molt animat—. I deixa'm dir-te que avui estàs radiant!

—Quin pilota! —va comentar el Poruki.

—Ai, gràcies —va contestar la comissària, vermella com un pigot. Després es va adreçar als gossos allà reunits—. Nois, vull que doneu la benvinguda a l'escola a aquest nou company, el ROBO-GOS!

Els gossos no van dir res. Odiaven allò que tenien al davant.

—Robo-gos! —va deixar anar el Poruki—. Quin nom més estúpid! Per què no es diu Gosbot?

—O Gossiboti? —va suggerir el Manta.

—O Bàrbara? —va afegir la Toixa—. És un nom molt bonic per a un gos. A mi m'hauria agradat molt dir-me Bàrbara!

—El Robo-gos té cent vegades més **poders** que un gos normal! —va continuar la comissària—. Pot córrer més ràpid que vosaltres, pensar més ràpid que vosaltres i, sobretot, seguir les ordres més bé que vosaltres.

—Quines són les teves ordres, comissària? —va preguntar el Robo-gos.

La comissària va donar una ullada a l'escola, i els ulls se li van aturar a la pista d'obstacles. Era una autèntica prova per a qualsevol gos.

—Robo-gos! Ensenya als teus companys com s'ha de superar la pista d'obstacles!

—Amb molt de gust, comissària —va contestar ell.

Tot seguit, se li va obrir una escotilla a l'esquena i en va aparèixer un llançamíssils.



El míssil va volar per l'aire i...

La pista d'obstacles va explotar!

En un instant, es va convertir en una bola de foc.

—Missió acomplerta, comissària! —va exclamar el Robo-gos.

—No és ben bé el que jo tenia pensat —va dir la comissària.

La professora va sortir del seu amagatall darrere dels barracons.

—La pròxima vegada potser caldria donar-li les ordres més clares, comissària! —va suggerir.

CAPÍTOL DEU

# UNS REPTES DESAFIADORS

Aquell mateix dia, una estona més tard, la comissària va establir una sèrie de reptes als gossos policia. La professora s'hi va quedar per observar, resant perquè no es produís cap altre incident com l'explosió de la pista d'obstacles.

—A veure, gossos, el primer dels vostres tres reptes —va anunciar la comissària— és atrapar un lladre.

—Vinga, ensenyem-li tots junts a aquesta amenaça metàl·lica qui mana aquí! —va exclamar el Manta.

—**BUB!** —van lladrar els altres gossos en senyal d'assentiment.

—Bé, quan dic tots junts em refereixo a tothom excepte jo —va contestar el Manta.

Un agent de policia, que sens dubte hauria preferit ser en qualsevol altre lloc que no pas allà, va aparèixer en escena, cobert amb un enorme vestit encoixinat. Semblava que l'haguessin inflat. Era per protegir-se de les mossegades dels gossos mentre feia veure que era un lladre. El «lladre» va disposar d'una mica d'avantatge abans que la comissària bufés el xiulet perquè els gossos comencessin a perseguir-lo.

PIP!

Els gossos van sortir disparats i van deixar el Robo-gos encara a la línia de sortida. Però el Robo-gos es podia permetre donar-los avantatge, perquè ell era el gos més ràpid que el món havia vist mai.

—DESPLEGAR ALES! DISPARAR COET DE PROPULSIÓ! —va ordenar.

Immediatament, es va transformar en una màquina voladora i es va enlairar amb un...

***BUM!***

El Robo-gos va passar volant per sobre els caps de tots els gossos que perseguien el lladre.

*FIU!*

**—BUB! BUB! BUB!**

Llavors es va obrir una escotilla a l'esquena del robot i en van sortir les pinces.

**CLONC!**

Els braços de les pinces es van estendre i estendre, fins que van arribar al «lladre».

—LLADRE! QUEDES DETINGUT! —va anunciar el Robo-gos.

Tot seguit, les pinces van aferrar l'esquena del vestit encoixinat de l'home i amb una embranzida el van llançar en l'aire.

*FIUUU!*

—EM RENDEIXO! —va cridar el policia.

Tots els altres gossos no van poder fer res més que aturar-se i contemplar aquella demostració magnífica de feina policial. L'home es balancejava indefens enmig del cel, agitant braços i cames, incapaç de deslliurar-se de les urpes del Robo-gos, que el va arrossegar per sobre les capçades dels arbres...

CRC! CRC! CRC!

... abans de deixar-lo en els braços d'un altre agent de policia que hi havia a sota.

BUF!

—Missió acomplerta! —va exclamar el Robo-gos.

—BRAVO, NANO! —va cridar la professora des del seu raconet—. BRAVO!

Tots els altres gossos van esbufegar, sobretot la **Patrulla Inútil**. Aquest robot els estava deixant en ridícul.

—Molt bé, el repte següent és… —va començar la comissària abans de fer una pausa per buscar la paraula adequada— tot un desafiament! Com podeu veure, els meus companys policies han col·locat un centenar de maletes en una pila enorme al **pati d'armes**. El repte és trobar la maleta que conté un cartutx de dinamita a l'interior!

Els gossos es van preparar per llançar-s'hi, fent moure el nas per ensumar l'explosiu.

—Un moment, gossos. Espereu que us doni el senyal!

PIP!, va fer sonar el xiulet.

—Ja està allò de capturar el lladre? —va preguntar el mandrós Manta.

Tots els gossos van córrer cap a les maletes, ensumant com uns desesperats.

ESNIF! ESNIF! ESNIF!

Mentrestant, el Robo-gos s'esperava immòbil. Amb el seu ull de raigs X, va escanejar les cent maletes en pocs segons. Immediatament, va detectar la gran maleta marró que contenia el cartutx de dinamita.

CLINC!

—APARTEU-VOS! —va ordenar.

Tots els gossos es van retirar corrents. El Poruki va anar encara més enllà i va començar a cavar frenèticament un forat per amagar-s'hi.

Tot seguit, amb l'ull làser, el Robo-gos va llançar una ràfega a la maleta.

BUM!

Es va produir una explosió enorme. Quan el fum va escampar, els gossos van descobrir que havien quedat negres de sutge.

—**GRRR!** —van grunyir.

—Una altra missió acomplerta! —va anunciar alegrement el robot.

—SÍ, SENYOR! SÍ, SENYOR! HO HA FET! HO HA FET! —va exclamar la professora, acompanyant el càntic amb un petit ball.

—Pots callar, si us plau? —la va renyar la comissària—. M'estàs deixant en ridícul davant de tots els gossos!

—Perdó.

—Gràcies.

—PERÒ HO HA FET! VISCA!

—CALLA! Molt bé, gossos, el repte final és, en una paraula, molt desafiador.

—Això són dues paraules —va replicar la professora.

—CALLA! A veure, una de les tasques dels gossos policia és vetllar per la seguretat dels ciutadans de **BATIBULL**. Per tant, ara heu de salvar algú que s'està ofegant!

Amb el senyal de la comissària, un helicòpter de la policia va aparèixer sobre els seus caps.

*FLAP-FLAP-FLAP!*

Penjant d'una corda sota l'helicòpter, hi havia un cotxe de la policia atrotinat amb un agent amb armilla salvavides al volant. Aquest sí que s'hauria estimat més ser en un altre lloc, i no pas allà!

Quan l'helicòpter va ser just a sobre de l'estany, la corda es va afluixar.

ZIIIP!

El cotxe va anar a parar al llac amb un estrepitós PATATXOF!

Es va començar a enfonsar.

BLUP! BLUP! BLUP!

—Aquest sí que és nostre! —va exclamar el Poruki—. El Robo-gos no es pot mullar! Es rovellaria!

—Qui és el Robo-gos? —va preguntar la Toixa, la sòmines.

La comissària va bufar el xiulet.

PIP!

El Poruki va posar la punta del peu a l'aigua, però va decidir que estava massa freda per ficar-s'hi.

El Manta va pensar que era millor esperar assegut que tot plegat s'acabés. Havia sigut un dia molt llarg.

Mentrestant, la Toixa havia confós un bassal amb el llac i s'hi va llançar de cap.

PLAF!

En canvi, tots els altres gossos van saltar corrents a l'aigua...

XOOOFFF!

... mentre el Robo-gos es quedava quiet a la vora.

Els gossos es van afanyar a arribar al cotxe que s'enfonsava per treure'n l'home i evitar que s'ofegués.

—**MODE SUBCANÍ**: activat! —va exclamar el Robo-gos.

El robot es va tornar a transformar, aquesta vegada en un submarí.

*TXAM!*

La cinta de tanc va desaparèixer a l'interior del seu cos abans que apareguessin unes aletes i una hèlice.

**CLIC!**

—Transformació finalitzada! A punt per a la immersió!

—Ai, coi —va comentar la comissària.

El robot es va acostar a la vora del llac...

XAF!

... i es va submergir a l'aigua.

*ZIUUUU!*

A sobre seu, va veure centenars de potes peludes esforçant-se per nedar a l'estil gos. Tanmateix, tots aquells gossos no podien competir amb el **SUB-CANÍ**, que els va avançar com un coet.

Va arribar al cotxe enfonsat en pocs segons, es va col·locar a sota i va activar l'electroimant superfort que tenia a la panxa.

BLUP!

Immediatament, la part inferior del cotxe es va enganxar a l'electroimant.

CLUNC!

Encara a sota l'aigua, el **SUBCANÍ** es va transformar de nou en Robo-gos. Les aletes i l'hèlice van desaparèixer a l'interior del seu cos, en van sortir les ales i el coet de propulsió va esclatar.

**BUM!**

Just quan els gossos arribaven al mig de l'estany, el cotxe va sortir disparat de l'aigua amb el Robo-gos a sota.

Els gossos van mirar enlaire per veure el cotxe que volava a sobre seu. El Robo-gos el va deixar intacte als peus de la comissària, amb un agent molt moll i molt alleujat a l'interior.

CLONC!

—Missió super acomplerta! —va exclamar.

La comissària estava impressionada.

—Això no és només un gos! És un supergós! —Es va girar cap a la seva dona—. Professora! Ets un geni! Podries fer-ne cent com ell? Mil? No, deu mil!

—Potser sí —va respondre—, però aquest és superespecial.

—Em pensava que jo era únic —va dir el Robo-gos.

—I ho ets.

—De moment —va afegir la comissària.

Durant tota aquella estona, enfilada dalt d'una teulada amb uns binocles, la Velma ho vigilava tot. La gata havia estat observant els moviments del Robo-gos.

—Aquesta cosa s'ha de destruir! —va xiuxiuejar.

—Has fet molt bona feina, Robo-gos! —va dir la comissària—. Has passat les proves amb matrícula d'honor!

Va allargar una mà per acariciar-li el cap de metall, però de seguida s'ho va repensar.

—Tot això és un dia de feina normal per al Robo-gos! —va dir el gos robot—. Benvinguts al futur de la lluita contra el crim!

—Oh, no! —va exclamar el Manta—. Fins i tot té un lema!

—Gossos —va dir la comissària—, avui heu presenciat una cosa extraordinària. Aquest nou gos policia, el Robo-gos, ha establert el model de qualitat que tots heu de seguir.

—Però, qui és el Robo-gos? —va preguntar la Toixa.

—I, per tant, he decidit que el Robo-gos conviurà amb els gossos que poden aprendre més del seu excel·lent exemple... LA PATRULLA INÚTIL!

—QUÈ?! —van exclamar tots tres.

—Aquest serà el teu repte més desafiador de tots! Convertir aquests tres esgarriats, l'esporuguit Poruki, el mandrós Manta i la sòmines Toixa, en gossos policia modèlics com tu!

—No sé qui són aquests pobres —va mussitar la Toixa—, però t'asseguro que els planyo!

El Poruki i el Manta van brandar el cap amb desesperació. Realment la Toixa era la gossa més sòmines del món.

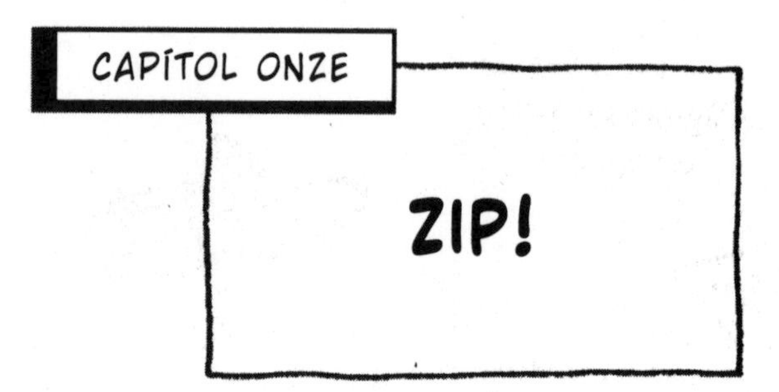


En el moment en què el Robo-gos va entrar al cobert de la **Patrulla Inútil**, van començar a voleiar pèls.

Era el lloc més caòtic de tota **L'ESCOLA DE GOSSOS POLICIA**. Malgrat les estrictes normes de la comissària per mantenir l'escola ben neta, el terra era una mena de catifa feta de:

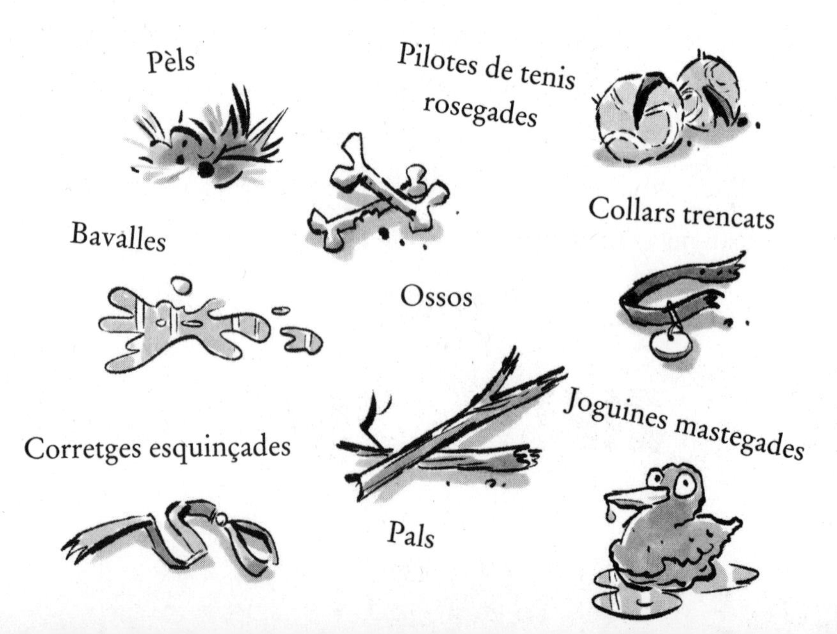

*Zip!*

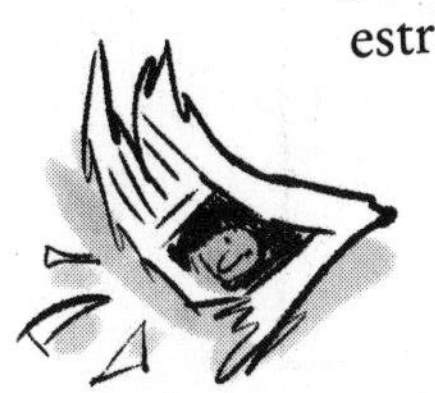

El Robo-gos va entrar al cobert i va anunciar:

—Aquest cobert és un perill per a la salut! S'ha de netejar immediatament.

La **Patrulla Inútil** va protestar.

—Aquesta sabatilla encara no l'hem rosegat! —va exclamar la Toixa.

—Si no treus mai la pols, després dels dos primers anys ja no se n'acumula més! —va raonar el Manta.

—A mi no em faria res ajudar, però la porqueria em fa por —va afegir el Poruki.

El Robo-gos no els va fer gens de cas. El seu ull làser es va encendre de color vermell i van començar-ne a sortir raigs de llum.

Al cap de poc, tots aquells estris van quedar socarrimats. L'únic que es veia escampat per terra eren petites piles de cendres.

—NOOO! —van cridar tots tres.

—I ara, **Patrulla Inútil**, em centraré en vosaltres! —va anunciar el Robo-gos.

*Zip!*

Tots tres van córrer cap a un racó amb les potes del davant alçades. S'esforçaven a amagar-se l'un darrere l'altre. Acabarien rostits com la porqueria del cobert?

—NO EM RENYIS A MI! RENYA'L A ELL! —va cridar el Poruki, assenyalant el Manta—. ELL ÉS MOLT MÉS CULPABLE!

El Robo-gos va fer que no amb el cap.

—No. No vull pas renyar-vos. Només vull ensenyar-vos a tots tres a convertir-vos en els millors gossos policia!

—Ah! O sigui que és per això que som a l'escola! —va exclamar la Toixa—. Per convertir-nos en gossos policia, oi? No m'ho havia dit ningú!

Els altres dos van remenar el cap. Si donessin medalles per a gossos sòmines, la Toixa s'emportaria la d'or.

—Em dic Robo-gos. Estimats companys, si us plau, presenteu-vos.

—Bé, jo soc el Poruki —va començar el Poruki—, però no som els teus estimats companys.

Els altres dos membres de la **Patrulla Inútil** se'l van quedar mirant. Què significava això?

—Què vols dir? —va preguntar el Robo-gos.

—Doncs que tu no ets un gos de debò! —va contestar el Poruki.

El gos robot es va quedar en silenci. Fins i tot els seus *nyics* i clics es van aturar.

—No soc un gos de debò? No ho entenc —va dir.

—Nosaltres som gossos reals. Perseguim pilotes, roseguem pals, cavem forats per als ossos, desordenem coses, fem pets... —va explicar el Poruki.

—HA! HA! HA! —van riure la Toixa i el Manta.

—Què és aquest soroll que feu? —va preguntar el Robo-gos.

—Riure! —va exclamar el Manta—. És el soroll que fas quan una cosa és divertida.

—I què ha sigut tan divertit? —va preguntar el Robo-gos.

—Quan el Poruki ha dit que «fem pets» —va contestar la Toixa—. Fer pets sempre és divertit!

—Ah, sí? Per què?

—Si no saps per què és divertit fer pets, és que mai de la vida seràs un gos de debò! —va dir el Poruki.

—És clar que soc un gos! —va protestar el Robo-gos—. Soc el Robo-gos!

—No ets cap gos! —va dir el Poruki—. I no ho seràs mai!

Llavors va passar una cosa estranya. Una gota d'oli va negar l'ull del Robo-gos.

—Què és això? —va preguntar la Toixa.

—Sembla una llàgrima —va contestar el Poruki, sorprès—. Però no pot ser. El Robo-gos ni tan sols és un gos de debò! No pot estar trist! És impossible!

El Robo-gos estava sentint alguna cosa per primera vegada en la seva curta vida. Fins llavors, només havia tingut pensaments. Però ara alguna cosa se li removia molt endins. Tristesa. Era desconcertant i confús alhora. Els sentiments es van començar a acumular al seu interior. De sobte se sentia... avergonyit, com si necessités amagar que estava trist. Per tant, el Robo-gos va fer una cosa que encara no havia fet mai.

Va mentir.

—ERROR! ERROR! ERROR! —anava repetint amb la seva veu robòtica.

I per completar l'actuació, es va posar a girar sobre si mateix com si volgués atrapar-se la cua.

—ERROR! ERROR! ERROR!

El Robo-gos va fer caure un bol...

CLANC!

... va topar contra la paret...

CLUNC!

... i va xocar amb la Toixa, que va caure a terra sobre un bassal de les seves baves.

—BUB!

Després de crear un caos semblant al que hi havia abans, el Robo-gos va sortir del cobert.

CAPÍTOL DOTZE
GATS, GATS I MÉS GATS
Aquella nit, la Velma va convocar una reunió urgent amb tots els gats de la ciutat. Els MIOLS van ressonar per totes les teulades de BATIBULL, anunciant l'hora i el lloc de la reunió.
MEU!

O sigui que ara hi havia gats, gats i **més** gats aplegats a l'esgarrifós parc de la ciutat a mitjanit.

La Velma estava enfilada a dalt d'una estàtua. Encimbellada al cap de pedra i il·luminada per la lluna platejada, es va adreçar a la congregació. Igual que a casa seva, la Velma tenia clar que ella era qui manava.

—Escolteu, gats de **BATIBULL**. Com a líder vostra no elegida...

Els gats estaven furiosos.

—Per què ens has cridat?

—Podríem estar caçant rates!

—Mi-te-la ella, quin pèl més fi! Què vols que sàpiga aquesta? És un d'aquests gats que no surten mai de casa.

—MARRAMEEEU! —va exclamar la Velma.

Va ensenyar els ullals i va treure les llargues urpes. Ara sí que havia captat l'atenció del públic.

—Gràcies! —va dir—. Us he convocat perquè hi ha una nova amenaça a **BATIBULL**! Una amenaça molt pitjor que qualsevol dels criminals terribles que ronden pels nostres carrers! Una amenaça que destruirà no només les nostres vides, sinó les vides de tots els gats d'arreu del món! Si no hi fem res, els gats estem condemnats a la desaparició!

Tots els gats es van mirar els uns als altres en estat de xoc. Excepte un.

Un gat de carrer amb una gran cicatriu que li travessava la cara va aparèixer entremig de les ombres.

—Quina estupidesa! —va etzibar.

—Qui coi ets tu? —va preguntar la Velma.

—No em coneixes?

La Velma va fer que no amb el cap.

—Soc el que regenta aquesta ciutat. Em diuen Nafrat. Veus aquesta cicatriu? Me la vaig fer lluitant contra una bandada de llops.

—Què va passar?

—Que es van morir. O sigui que ja ho veus, maca, no hi ha res ni ningú que em pugui destruir. Ni tan sols el gos més gran i més dolent de tot el món!

La Velma va tornar a fer que no amb el cap.

—Bé, em sap greu haver de desmentir tot això que dius, però encara no has conegut el Robo-gos!

Un silenci atònit va descendir sobre els gats.

—Un gos robot? —va exclamar el Nafrat.

La Velma va assentir.

—El gos més ràpid, més fort i més llest que s'ha vist mai.

—Doncs aquest gos s'ha de **destruir**!

—Tant de bo fos tan fàcil, Nafrat —va contestar la Velma—. El problema és que el Robo-gos és indestructible.

Tots els gats van quedar uns instants en silenci, abans que se sentís una veu que va retrunyir des del fons.

—M'asseuré sobre seu!

Tots es van girar i van veure un gat enorme com una muntanya espatarrat en un carretó, el seu mitjà de transport preferit.

—Soc el Pavarotti, i us prometo que el puc deixar tan planxat com una crep. Mireu, aquest és el que he esclafat abans!

I tot seguit, va treure un gos aplanat de sota seu.

—Això no funcionarà en aquest cas, Pavarotti —va contestar la Velma—. La professora que l'ha creat, l'ha fet a prova de bombes!

—Molt bé, però l'ha fet a prova de paners? —va replicar el Pavarotti, i tots els altres es van posar a riure.

—HE! HE! HE!

—No suporto haver de dir obvietats —va comentar un gat vell i escanyolit, repenjat al tronc d'un arbre—. Per cert, em dic Gatusalem. Però a veure, aquest gos robot no té un **botó** per apagar-lo?

Es van sentir murmuris d'aprovació. Efectivament, aquesta semblava la idea més simple.

—Sí, apagueu aquest maleït estri!

—Apaguem-lo! Apaguem-lo! Apaguem-lo!

—Per sempre més!

—NO! NO! NO! —va cridar la Velma per sobre d'aquell orgue de gats—. Encara que apaguem el Robo-gos, qualsevol pot tornar-lo a engegar quan vulgui. I estarem altra vegada igual. No! El Robo-gos s'ha de destruir. Per sempre.

—SÍ! —van cridar els gats.

—SOM-HI! —va cridar el Nafrat.

—UN MOMENT! —va exclamar la Velma, des del cim de l'estàtua—. Necessitem un pla, perquè no podem pas acostar-nos tan fàcilment a aquest maleït robot.

—Per què? —va preguntar el Gatusalem.

—Perquè ara mateix el Robo-gos és a **L'ESCOLA DE GOSSOS POLICIA**.

Es van produir xiscles entre els gats.

—**L'ESCOLA DE GOSSOS POLICIA**!

—Això deu ser una broma!

—Allà hi ha un centenar de gossos!

—No penso acostar-me a aquell lloc!

—No en sortirem mai vius!

Immediatament, els gats es van escapolir entre les ombres de la nit.

—ESPEREU-VOS! —va cridar la Velma—. TORNEU!

Però no es van aturar. Al cap de poc, només en quedaven tres: el Nafrat, el Pavarotti i el Gatusalem.

—NO POT SER! —va exclamar la Velma.

—No t'enfadis, reina. Amb nosaltres tres en tens prou —va dir el Nafrat.

—L'únic que hem de fer és treure tots els altres gossos fora de l'escola —va dir el Gatusalem.

—Però com? —va preguntar el Nafrat.

—Nosaltres som gats. Som llestos. Segur que se'ns acut alguna solució!

—Sobretot jo —va dir la Velma.

Es va fer un breu silenci.

—Menjar! —va exclamar de sobte el Pavarotti.

—No em diguis que ja tornes a tenir gana —va dir el Nafrat.

—El gran Pavarotti sempre té gana, però conec unes criatures que són encara més afamades que el gat més afamat del món...

—ELS GOSSOS! —van cridar els quatre gats a l'uníson.

Poc després, ja havien ideat un MASTERPLÀ PER DESTRUIR EL ROBO-GOS.

CAPÍTOL TRETZE

# RATTI LA RATA

Tot sol al mig del **pati d'armes**, el Robo-gos es va aturar.

—Soc un gos de debò! —va dir, en to desafiador—. Sé lladrar, córrer i rebolcar-me per terra...

—Amb qui parles? —va dir una veu.

—QUI HI HA AQUÍ? —va preguntar el Robo-gos.

Es va sentir el soroll d'un xiulet.

—EOOO! Aquí! —va dir la veu.

El robot va mirar avall i va veure una rata que s'enfilava per una claveguera.

—Una rata! L'he d'esclafar! —va dir el Robo-gos, mentre activava l'ull làser, preparat per disparar.

—No soc una rata! —va mentir la rata, alçant les potes amb pànic—. Només soc un ratolí estranyament gran i més aviat lleig.

—Això no encaixa! —va dir el Robo-gos.

—Què estàs fent?

El Robo-gos va fer servir l'ull de raigs X per escanejar la criatura. El seu veredicte va ser ferm, però just.

—No tens l'aspecte, ni parles ni fas l'olor de res que s'assembli a un ratolí.

—Bé, és que les rates, vull dir els ratolins, som de diferents **formes** i mides, com els gossos.

Això va deixar el Robo-gos astorat.

—Has dit que soc un gos?

—Home, què més pots ser? —va replicar la rata.

—No ho sé. Els altres gossos diuen que no soc un gos de debò... I m'he posat trist. M'ha sortit una llàgrima a l'ull.

La rata, per una vegada, no entenia res. Va sortir de la claveguera i va observar de dalt a baix aquella criatura mecànica.

—Per què ho diuen, això? És clar que ets un gos! Tal com jo soc un ratolí, oi? No cal que m'esclafis.

El Robo-gos va assentir.

—Em dic Robo-gos.

—Quin nom més original per a un gos robot! Jo em dic **Ratti**!

—Un nom ben estrany per a un ratolí.

—Ai! Això és el que vaig dir als meus pares, però et penses que em van escoltar?

—No ho sé. Et van escoltar?

—Tant és això! A veure, una cosa que has de tenir clara, Robo-gos, és que en aquesta vida pots ser el que vulguis.

—Què vols dir, **Ratti**?

—Doncs que si desitges amb tot el **cor** ser un gos, qui ho diu que no pots ser-ho?

—És que no tinc **cor** per poder desitjar —va contestar el Robo-gos, afligit—. Potser per això els altres gossos pensen que no soc real.

—És clar que tens cor —va contestar la **Ratti**.

—Ah, sí? Tinc coets i un ull làser, però no en tinc pas, de **cor**.

—Si pots sentir alguna cosa, si pots plorar com la resta de nosaltres, llavors és que per força has de tenir **cor**!

Dit això, va posar la seva diminuta urpa al pit del robot.

—Ara sento una altra cosa —va dir el Robo-gos—. Sento una **cosa** **calenteta**.

—Això és felicitat, suposo. I ara que tu ho sents, jo també ho sento!

El Robo-gos es va quedar pensatiu.

—Potser puc sentir alguna cosa, però tot i així no m'assemblo als altres gossos.

—I qui vol ser com els altres? Jo soc un ratolí peculiar, i tu ets un gos peculiar! Això és el que ens fa especials. Vinga, va, torna cap a aquell cobert amb el cap ben alt i descansa una mica.

—Gràcies, **Ratti**!

—Gràcies a tu, Robo-gos, per no esclafar-me!

—És clar!

—Això podria ser l'inici d'una bonica amistat —va dir la rata mentre desapareixia claveguera avall.

CAPÍTOL CATORZE

# MIL MILIONS DE DÒLARS

El Robo-gos havia actuat de manera tan espectacular en tots els reptes que la comissària va decidir que ja estava preparat per posar-lo a prova als foscos i perillosos carrers de **BATIBULL**. Per tant, ella i la professora van treure el Robo-gos de l'escola per patrullar tot el dia. Tots els altres gossos es van mostrar encantats i van udolar amb entusiasme, sobretot la **Patrulla Inútil**, que s'havia vist obligada a compartir cobert amb ell.

—VISCA! —van exclamar quan el Robo-gos va pujar a la part posterior del cotxe de policia de la comissària.

—Bon vent! —va dir el Poruki.

—Espero que no tornis mai més! —va afegir el Manta.

—Qui se'n va? —va preguntar la Toixa.

Des del darrere del cotxe, el Robo-gos va veure **BATIBULL** per primera vegada. Era un lloc fosc i tenebrós, una ciutat en ruïnes, i una ciutat que estava a punt de ser l'escenari del crim més gran de la història!

A través dels carrers de **BATIBULL**, estaven viatjant **mil milions de dòlars**. Els transportaven des de la impremta del govern, on fabricaven els diners, fins al principal banc de la ciutat.

Els dolents de **BATIBULL** en sabien tots els detalls. La feina dels dolents consisteix a saber-ho tot sobre aquesta mena de coses; per això són els dolents.

Era una quantitat tan colossal de diners que el president havia considerat que era excessiva perquè els custodiés només la policia. Per tant, com a bon previsor, havia encomanat la feina a l'exèrcit. Això era humiliant per a la comissària de policia, però de totes maneres l'amoïnava que alguna cosa sortís malament. Segur que algú o altre intentaria robar aquells **mil milions de dòlars**. Ningú no coneixia tan bé com la comissària els carrers foscos i perillosos de la ciutat; per això volia ser per allà amb la seva nova arma secreta... el ROBO-GOS!

Al llarg de la ruta que seguia el comboi blindat, la gent s'havia aplegat a les voreres per poder veure què passava. La comissària, la professora i el Robo-gos es van instal·lar en una cantonada. Un general força alt i amb el pit ple de medalles va veure la comissària i s'hi va acostar.

—Quina llàstima que no hagin confiat aquesta missió a la policia de **BATIBULL**, eh, comissària? —va lladrar—. Per sort, se n'encarrega l'exèrcit!

—M'alegro de veure'l, general —va contestar la comissària.

—He planificat personalment aquest trasllat! —va presumir l'home—. Els **mil milions de dòlars** viatgen en un tanc.

—Un tanc!

—No es poden córrer riscos en aquesta ciutat, comissària! I el tanc està escortat no pas per un, ni dos, ni tres...

—Digui'ns quants! —va exclamar la professora.

—Per quatre vehicles blindats!

A l'esquerra, a la dreta, al davant i al darrere del tanc, per crear un mur infranquejable.

—I si fan un atac des de dalt? Alguns superdolents de **BATIBULL** tenen experiència en l'aire.

—Ja hi he pensat, en això, comissària. Fixi-s'hi! —El general va assenyalar cap al cel, on sobrevolava un helicòpter militar.

—Senyor general, senyor! —va intervenir el Robo-gos.

—Qui ho ha dit això?

—Aquí, senyor general, senyor!

El general va mirar cap avall.

—Em pensava que eres una paperera de disseny modern.

—Quina cara! —va dir la professora.

—General, i si l'atac el fan per sota?

El general va esbufegar i va fer que no amb el cap.

—Qui o què ets, tu?

—Soc el Robo-gos, el futur de la policia!

El general es va posar a riure.

—HA! HA! HA! Com si aquesta caixa de metall pogués enfrontar-se amb els dolents de **BATIBULL**! Que ha perdut el cap, comissària?

La dona no es va ni dignar a respondre'l.

—Un atac des de sota! Quina bestiesa!

—Amb la meva oïda supersensible —va dir el Robo-gos—, he sentit una sèrie de cops sota terra.

—Això és absurd! —va etzibar el general.

—Encara en sento —va dir el Robo-gos.

—El Robo-gos podria tenir raó, general! —va intervenir la professora.

—Sí, i els porcs saben volar! Oh! Ja arriba el comboi. Ben puntual —va dir, comprovant el rellotge—. Superpuntual!

Els vehicles blindats i el tanc van aparèixer al carrer on el grup s'esperava.

—Res ni ningú pot aturar aquest comboi! —va dir el general.

Però estava equivocat. I força ofuscat. Es podria dir que estava equifuscat!*

I ara, anem a veure què passa sota terra!

Els dolents anaven, com sempre, un pas endavant dels bons. Un pas de gegant més enllà hi havia el supercriminal conegut com a **SUPERMENT**. Es deia així perquè era el criminal més intel·ligent que havia existit mai. El cos d'en **SUPERMENT** s'havia mort feia dècades, però havia conservat el seu megacervell, que vivia dins d'un enorme pot de vidre amb rodes.

* Aquesta paraula és fins i tot massa absurda per formar part del vocabulari de l'univers *Walliams*.

Com sempre, en SUPERMENT anava acompanyat de la seva sequaç, la MADEMARTELL. Era una dona baixeta, rabassuda i amb cara d'enfadada que havia perdut les dues mans en una explosió, perquè va utilitzar massa dinamita per fer explotar una caixa forta.
BARRABUM!
Ara, en comptes de mans, tenia dos martells gegants que podien fer molt i molt de MAL.
CLONC!

Malgrat aquests noms tan peculiars, en **SUPERMENT** i la MADEMARTELL eren els dos criminals més temuts arreu del món. Avui, la parella de malvats tenia la vista posada en els **mil milions de dòlars**. Estaven disposats a fer qualsevol cosa, per dolenta que fos, per ficar-hi mà (o martell).

## EL PLA

El pla d'en **SUPERMENT** era simple, però brillant. Sota terra, la **MADEMARTELL** s'havia posat a treballar fent servir els martells. Només amb permís per fer brevíssimes pauses per beure un xarrup de te o anar al lavabo, havia anat picant la part inferior del carrer per esmicolar-la i formar un buit en forma d'ou. Aquest era el soroll que sentia el Robo-gos sota terra amb la seva oïda **SUPERSENSIBLE**.

2
La idea era debilitar la part inferior de l'asfalt perquè, quan el feixuc tanc que transportava els **mil milions de dòlars** hi passés per sobre, el carrer s'ensorrés.
BURRUM!
3
El tanc cauria en picat a la claveguera.

Tot seguit, amb uns cartutxos de dinamita, en **SUPERMENT** i la **MADEMARTELL** farien un forat al tanc i n'agafarien els **mil milions de dòlars!**

5
MIL MILIONS DE DÒLARS
Fins i tot tenien un minisubmarí preparat per fugir a través del clavegueram cap a l'oceà. Era el pla perfecte. O això pensava la parella. Però no havien tingut en compte el Robo-gos!
6
CAP A L'OCEÀ
I ara, tornem a l'exterior, on el general continuava presumint.

—No pateixis, Robo-gos, que aquests **mil milions de dòlars** estan completament...

Abans que pogués pronunciar la paraula «segurs», el tanc que contenia els diners va desaparèixer del tot.

BARRABUM!

Havia caigut per un forat enorme al mig del carrer.

Els vehicles blindats van frenar de cop.

*NYIIIIIC!*

La comissària va llançar una mirada al general.

—QUÈ COI... —va cridar, mentre corria cap al forat pel qual s'havia enfonsat el tanc.

—Robatori en marxa! —va exclamar el Robo-gos, que va sortir escopetejat cap a l'escena del crim.

—Ves amb compte, reiet! —va cridar la professora.

La comissària estava estupefacta.

—Li has dit «reiet»?

—Se m'ha escapat!

El Robo-gos va donar una ullada al forat profund que hi havia al mig del carrer. En la foscor del fons, va veure guspires de llum i va sentir un soroll crepitant.

En aquell moment, el general va arribar al costat del Robo-gos. Es va aturar just darrere seu.

—FORA D'AQUÍ! —va retrunyir.

—APARTI'S, GENERAL! —va cridar el Robo-gos—. AIXÒ ÉS DINAMITA!

Però ja era massa tard.

Es va produir una enorme explosió sota terra.

**BARRABUM!**

I va sortir una bola de foc pel forat.

PUM!

CAPÍTOL QUINZE

# UN RIU DE RONYA

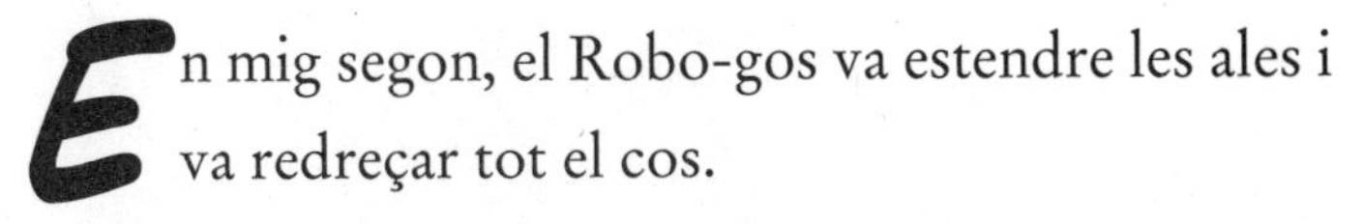

En mig segon, el Robo-gos va estendre les ales i va redreçar tot el cos.

ZIP!

Amb molta valentia, va protegir el general tan bé com va poder de l'explosió.

BUM!

Però tots dos van sortir disparats enrere.

—AAAH!

El general va caure a terra amb un PATAM! El Robo-gos va aterrar a sobre seu.

PLOF!

—Traieu-me aquest estúpid de sobre! —va bramar el general.

L'explosió va sacsejar **BATIBULL** com si fos un terratrèmol. La comissària i la professora van anar fent tentines cap a la parella.

—ROBO-GOS! —va exclamar la comissària.

—NOOO! —va cridar la professora.

—DEIXEU-LO ESTAR, AQUEST TROS DE LLAUNA AMB POTES! —va esgaripar el general—. ÉS PER MI QUE US HEU DE PREOCUPAR!

Les dues dones van anar per feina i van treure el Robo-gos de sobre d'aquell home tan irritant.

—AQUESTA COSA S'HA DE DESTRUIR! —va cridar el general.

—Aquesta cosa —va començar la professora— li acaba de salvar la vida!

—I ara, si tenim sort —va continuar la comissària—, salvarà els seus **mil milions de dòlars**! Estàs bé, Robo-gos?

—Sí, comissària! —va contestar molt eixerit, malgrat que estava tot cobert de sutge de l'explosió.

—Fantàstic! Doncs ara persegueix aquells dolents i els **mil milions de dòlars**!

El Robo-gos va sortir disparat cap al forat fumejant que hi havia al mig del carrer.

FIU!

Sense pensar-s'ho dues vegades, el Robo-gos es va llançar dins del forat.

XOF!

A baix a la claveguera hi havia un
RIU DE RONYA!
XOF!
El robot era prou petit per quedar totalment submergit en
RONYA, RONYA I MÉS RONYA!

Llavors, el Robo-gos va treure el cap i va veure el gran esvoranc que hi havia en un lateral del tanc.
Els **mil milions de dòlars** han desaparegut!

Va mirar amunt i avall de la claveguera.
Aquells deuen ser els dolents!
—va dir per a si mateix—.
SUBCANÍ: ACTIVAT!
Tot seguit va començar a avançar per aquell riu de ronya en una INTENSA PERSECUCIÓ!
Quan va ser prou a prop per poder-los disparar, l'ull se li va tornar vermell.

Un tros lluny, va distingir un minisubmarí que avançava a través de les AIGÜES FÈTIDES.
Al cap d'un instant, li van sortir les aletes i l'hèlice.
RRR!

Llavors, un raig roent va tocar el minisubmarí.
BUM!
ZIP!
L'embarcació va perdre el control...
RRR!
... abans de quedar encallada de gairell entre les parets de la claveguera.
RAAAC!
Es va obrir l'escotilla de la part de dalt del minisubmarí.
CREC!
Soc el Robo-gos, el futur de la lluita contra el crim. Quedeu **detinguts**!

Una veu des de l'interior del minisubmarí va ressonar per tota la claveguera.
ESCLAFA'L, MADEMARTELL!

La MADEMARTELL va sortir de l'escotilla brandant les seves armes enormes. Es va submergir al riu de ronya...
XOF!
... i es va acostar feixugament cap al Robo-gos.

He dit que esteu detinguts!
—va repetir el Robo-gos.
Un somriure malvat va aparèixer a la cara de la MADEMARTELL.

Llavors va alçar les mans de martell per sobre el cap per agafar embranzida, abans d'abaixar-les i colpejar el Robo-gos amb un potent...
CLONC!

El cop va ser tan fort que el Robo-gos va sortir disparat per la claveguera.

Per primera vegada a la vida, va tenir por.

—SOCORS! —va cridar mentre volava per sobre la porqueria.

La seva veu ressonava per tots els túnels.

—S-O-C-O-R-S!

Evidentment, ningú el podia sentir des de les profunditats de la xarxa de claveguram de la ciutat.

Excepte...

La **Ratti**!

Igual que per a totes les rates de **BATIBULL**, les clavegueres eren casa seva. Quan la **Ratti** va sentir el crit del Robo-gos, surava sobre una petita capsa de cartró per les aigües fètides mentre es cruspia un tros de formatge. Bé, ella esperava que fos formatge.

—S-O-C-O-R-S!

La **Ratti** hauria reconegut aquella veu robòtica a qualsevol lloc. Era el seu nou millor amic, el Robo-gos! Immediatament es va aixecar i va saltar sobre la cosa més propera que surava per la brutícia del riu i que aguantaria el seu pes, i després una altra, i una altra i una altra:

—R-O-B-O-G-O-S! —va cridar en la foscor.

—R-A-T-T-I?

—ARA VINC A AJUDAR-TE!

Les clavegueres eren com un laberint, però la **Ratti** se les coneixia com el palmell de la seva urpa.

Al cap d'uns quants salts i saltirons, la **Ratti** va trobar el Robo-gos. El robot lluent que havia conegut ara era un nyap arrugat que surava de cap per avall enmig de la porqueria.

La carcassa de metall estava destrossada, l'hèlice s'havia torçat i una de les dues aletes s'havia trencat.

—Mare meva —va exclamar la **Ratti**—. Mare meva! Mare meva!

—Gràcies —va borbollejar el Robo-gos, amb el cap sota les aigües fètides. Va aconseguir girar-se, i ara se li veia la cara.

—Què dimonis t'ha passat? —va preguntar la **Ratti**.

—Una dona amb mans de martell m'ha fet sortir disparat.

La **Ratti** va arronsar les espatlles.

—Caram, no era la resposta que m'esperava, però continua...

—I hi havia un home cridant ordres des de dins del seu submarí!

—En **SUPERMENT**! —va exclamar ben fort la **Ratti**.

—Que el coneixes?

—Que si el conec?! És una de les ments criminals més grans que han caminat mai, o rodolat més aviat, pels carrers d'aquesta maleïda ciutat!

—Rodolar?

—En **SUPERMENT** només és un cervell.

—Només un cervell?

—Sí, és un gran cervell flotant dins d'una peixera amb rodes!

—Doncs aquest gran cervell acaba de robar **mil milions de dòlars**! I ara mateix ell i la seva sequaç s'estan escapant!

La **Ratti** es va quedar rumiant uns instants.

—Només hi ha una sortida de la ciutat, si vas sota terra. Tots els túnels desemboquen al riu. Segur que és allà cap on van. SOM-HI!

Dit això, la **Ratti** es va enfilar sobre el cap del Robo-gos. Però en comptes d'avançar, el robot només es balancejava dins del llot. L'hèlice va fer un soroll ofegat. Com que s'havia torçat, no podia girar bé.

—ERROR! ERROR! —va cridar el robot, exasperat, abans de rendir-se. L'hèlice va fer un altre soroll borbollejant i es va aturar del tot.

—Jo t'ajudaré! —va dir la **Ratti**—. Les rates, ai, vull dir els ratolins, són més forts del que sembla!

L'animaló va saltar del cap del seu amic i es va submergir en aquell femer.

XOF!

La **Ratti** va començar a fer força amb les petites potes per intentar empènyer endavant el seu amic de metall, però era impossible.

—No puc!

—No és pas culpa teva, **Ratti**. Soc jo! Soc inútil! —va dir el Robo-gos.

—No diguis ximpleries!

—No dic ximpleries! Els gossos de debò tenen potes per poder nedar. No una hèlice torçada i unes aletes trencades!

—Tu ets especial, te'n recordes?

—No m'ho sembla pas!

—Doncs mira, ho ets, i quan ets especial, simplement se t'ha d'acudir alguna idea que també ho sigui.

La **Ratti** es va enfilar altra vegada al cap del Robo-gos, es va posar un parell de dits a la boca i va fer un xiulet fortíssim.

XIIIIIUUU!

El so va ressonar arreu dels túnels. Després va quedar tot en silenci uns instants.

—Què estem esperant? —va preguntar el Robo-gos.

—Xxxt! —va fer la **Ratti**.

Al principi només era un brogit llunyà, i després es va anar sentint cada vegada més i més fort, fins que va ser eixordador. Flotant pel riu de ronya s'acostava una colla de rates dins d'un pot de gelat. S'impulsaven amb una batedora elèctrica.

***BZZZ!***

Era com el motor forabord d'una barca.

—Qui són? —va preguntar el Robo-gos.

—Les meves amigues rates, vull dir ratolins.

—Què? —va dir una d'elles, particularment grossa.

—Vosaltres seguiu-me el rotllo —va xiuxiuejar la **Ratti**—. Ja us ho explicaré després. Amigues! Aquest gos necessita que el remolquem!

—Això no és un gos! —va exclamar una de petita amb una veu molt greu.

—Ara no tenim temps per a això! —la va renyar la **Ratti**—. Han desaparegut **mil milions de dòlars**!

—Això és molt formatge! —va comentar la petita.

—En **SUPERMENT** i la **MADEMARTELL** estan fugint amb els diners! —va afegir el Robogos.

—Llanceu-me la corda! —va ordenar la **Ratti**—. L'hem de remolcar per perseguir-los!

Des de l'embarcació van llançar un tros de corda i la **Ratti** la va lligar al voltant del cap del Robo-gos.

—Fet!

—Cap on hem d'anar? —va preguntar la rata grossa.

—Cap allà! —va exclamar la **Ratti**, assenyalant un petit túnel lateral—. Si ens hi afanyem, podem interceptar els dolents allà on la claveguera desemboca al riu! —va afegir.

—Batedora a velocitat màxima! —va ordenar la rata petita.

*BZZZ!*

CAPÍTOL SETZE

# GATCROBÀCIES

Mentrestant, a l'exterior, s'estava produint una onada de crims.

Una onada de gatcrims!

Benvinguts a...

**PRIMER** PUNT DEL MASTERPLÀ DELS GATS PER DESTRUIR EL ROBO-GOS:

**ROBAR TOTES LES LLAMINADURES PER A GOSSOS DE BATIBULL.**

A les ordres de la Velma, la seva banda de gats s'havia disfressat de persona. S'havien col·locat l'un sobre les espatlles de l'altre com si fessin un número d'acrobàcia.

O un número de gatcrobàcia.*

* Consulta el diccionari de l'univers *Walliams*. Disponible només en contenidors d'oferta.

El Pavarotti era a baix de tot, després el Gatusalem, després el Nafrat i la Velma al cim.

Un cop col·locats l'un damunt de l'altre, la torre de gats es va posar una gavardina, barret i ulleres de sol.

La Velma ho havia gatpispat tot dels armaris de les seves mestresses.

Ara, totalment camuflats, la torre de gats entrava tentinejant a la botiga de mascotes més gran de **BATIBULL**. El Nafrat va ficar una pota dins de la butxaca de la gavardina, per fer veure que portaven una pistola.

Llavors, la Velma, des de dalt de tot de la torre, amb el barret i les ulleres de sol, va fer un gest perquè els dependents li entreguessin totes les llaminadures per a gossos.

Agafant el botí amb quatre parells de potes, la torre de gats va sortir tentinejant de la botiga.

Van dur a terme el mateix procediment a la botiga de mascotes següent. I a la següent. I a l'altra. Al cap de poc, la Velma i la seva banda de gats ja havien robat les llaminadures per a gossos de totes les botigues de la ciutat.

Ara només necessitaven un camió. Per tant, quan en van veure un d'aturat davant d'una botiga mentre descarregava mercaderia, amb el motor engegat, els gats s'hi van enfilar i es van posar en marxa. La Velma anava al volant, el Nafrat al pedal de l'accelerador, el Pavarotti als pedals del fre i de l'embragatge, i el Gatusalem s'encarregava del canvi de marxes.

—TORNEU ARA MATEIX!
—va cridar el transportista.

Però els gats eren massa ràpids per a ell. Van fugir a tot drap carrer avall, xocant amb tot el que trobaven pel camí:

Fanals
BARRABUM!
BUS
Parades de bus
CLUNC!
Paradetes de frànkfurts
PLAF!
Semàfors
CLONC!
Cotxes de policia
PLUM!

Com que era una gata, la Velma no s'havia tret mai el carnet de conduir. De fet, no havia fet mai cap pràctica amb un cotxe! Ni una!

I ara, tornem sota terra, a les profunditats de **BATIBULL**, on el Robo-gos era arrossegat per les rates a través del laberint de túnels més petits de les clavegueres...

—Esquerra! Dreta! Una altra vegada a la dreta! Vigila amb el revolt! —cridava la **Ratti**.

Al cap de poc ja van ser a la SUPERCLAVEGUERA, el túnel més gran de tot el clavegueram de **BATIBULL**. Aquest desembocava directament al riu Fangós, i d'allà hi havia una curta distància fins a l'oceà. L'única oportunitat que tenien els nostres herois d'evitar que en **SUPERMENT** i la **MADEMARTELL** fugissin amb els **mil milions de dòlars** era interceptar-los abans que arribessin al riu. Un cop el minisubmarí arribés a aigües obertes, l'escapada seria inevitable. El riu anava a parar a l'oceà, i des d'allà els criminals podien arribar a qualsevol lloc del món.

Després que els nostres herois haguessin recorregut quilòmetres pels túnels foscos, un punt diminut de llum va aparèixer a la llunyania. El punt es va anar fent cada vegada més gran, fins que es va convertir en un gran cercle lluminós.

—Gairebé ho hem aconseguit! —va exclamar la **Ratti**.

—Com ho saps que no és massa tard? —va preguntar el Robo-gos.

—Escolta! —va dir la rata grossa.

Van apagar el motor de la batedora i van navegar en silenci dins del pot de gelat pel riu de ronya.

De darrere seu, des del fons de la superclaveguera, els va arribar el brunzit del minisubmarí.

*RRR!*

—La nostra drecera ha funcionat! Estan a punt d'arribar! —va dir la **Ratti**—. Ara només hem de pensar com els aturem!

—ASSALTAREM LA SEVA EMBARCACIÓ I ELS MOSSEGAREM FINS QUE ES MORIN! —va proclamar la rata petita, i la idea va entusiasmar les altres.

—SÍ!

—Jo sé una manera... —va intervenir el Robo-gos—. Una manera de capturar-los vius!

—QUE AVORRIT! —van cridar les rates.

—Feu-me girar!

Les rates van fer el que els deia, o sigui que ara el Robo-gos estava col·locat d'esquena al cercle de llum.

—Aparteu-vos! —els va advertir.

I llavors...

ZAS!

El Robo-gos va disparar una xarxa pel cul, que es va enganxar com una teranyina a l'extrem de la superclaveguera.

**CLAC!**

—Ets un geni! —va exclamar la **Ratti**.

—Bé, almenys soc espavilat —va dir el Robo-gos.

Durant tota aquella estona, el minisubmarí d'en **SUPERMENT** havia anat avançant directament cap a ells a través de les aigües fètides.

XIP! XOP!

—Ens hem d'apartar del mig! —va cridar la **Ratti**.

—No tenim temps! —va exclamar la rata grossa i lletja.

—Prepareu-vos per a l'impacte! —va anunciar el Robo-gos—. Tres, dos...

Abans que pogués dir «un», el minisubmarí va impactar contra les rates.

PATAM!

Tots van sortir disparats cap a la xarxa...

*CLAC!*

... i van rebotar a una velocitat increïble que els va enviar de nou a l'interior de la superclaveguera!

CAPÍTOL DISSET

# PARACAIGUDES!

Ara, els **herois** i els superdolents volaven com fletxes per la superclaveguera, just fregant la superfície del riu de ronya.

El Robo-gos va mirar a través de les escotilles del minisubmarí. La **MADEMARTELL** tenia una expressió de pànic a la cara. Fins i tot en **SUPERMENT** nedava en cercles dins del seu pot. Bé, això tampoc era gens sorprenent, ateses les circumstàncies: estaven volant per una claveguera a cent cinquanta quilòmetres per hora!

El que no veia la parella de malvats, però els nostres **herois** sí, era que en qualsevol moment s'estavellarien contra el tanc de l'exèrcit que abans transportava els **mil milions de dòlars**.

PATAPAM!

La popa del minisubmarí va xocar contra el canó del tanc.

***BARRABUM!***

Instantàniament, el minisubmarí va quedar reduït a la meitat de la llargada que era.

—Xocarem contra ells! —va xisclar la **Ratti**.

Però el Robo-gos ja ho havia previst.

—Paracaigudes: ACTIVAT! —va ordenar.

El paracaigudes es va desplegar de la seva esquena.

El Robo-gos, la **Ratti** i les altres rates van reduir la velocitat suaument fins a quedar aturats.

—Gràcies, Robo-gos! —van cridar les rates.

—Gràcies a vosaltres, ratolins! —va contestar—. Bona feina!

—SOCORS! ESTEM ATRAPATS! —va cridar en **SUPERMENT** des de l'interior del minisubmarí.

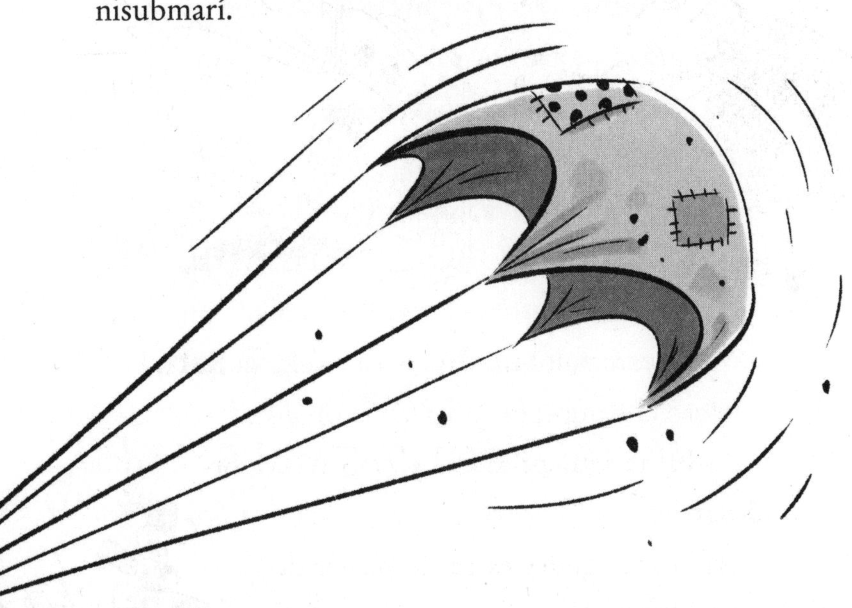

Amb l'ajuda del seu nas de trepant, el Robo-gos va retallar la carcassa.

*TXAC!*

Tot seguit, va treure el parell de dolents amb les pinces. Amb la **Ratti** encara enfilada dalt del seu cap, va activar el coet de propulsió.

***FIIIUUU!***

Al cap de poc, van sortir volant a la superfície pel forat que el tanc havia fet al carrer, cap al cel de **BATIBULL**.

La multitud de ciutadans que s'havien apinyat a mirar pel forat van alçar la vista amunt i van començar a cridar i a animar els **herois**.

—VISCA!

Però ningú cridava més fort que la professora.

—MOLT BÉ, ROBO-GOS! BÉ! BÉ! BÉ!

La genial inventora va fer el seu ball d'animadora davant de la multitud. Aquesta vegada ningú no la va aturar.

—MOLT BÉ, ROBO-GOS! BÉ! BÉ! BÉ!

De fet, tota la gentada aplegada es va unir al seu càntic!

—MOLT BÉ, ROBO-GOS! BÉ! BÉ! BÉ!

El general va observar el Robo-gos quan va sortir disparat cap al cel, i va quedar bocabadat de la IMPRESSIÓ. La comissària se li va acostar.

—Aquest gos robot sol ha fet més que tot el seu exèrcit! —va comentar la comissària.

—Em dic Robo-gos. Benvinguts al futur de la lluita contra el crim —va dir el Robo-gos, per a gran admiració del públic.

—VISCA!

Les càmeres van captar aquell moment màgic.

CLIC!

Havia nascut una llegenda!

Com un veritable **superheroi**, el Robo-gos va deixar els dos criminals a terra.

PLONC!

Immediatament, la comissària de policia els va detenir, tot i que no tenia gaire clar com havia de posar les manilles a un cervell flotant dins d'un pot de vidre.

—Has fet una feina excel·lent, Robo-gos —va exclamar la comissària.

—Has pres mal? —li va preguntar la professora.

—No, no —va mentir el robot.

Llavors el general es va atansar al grup.

—GOSROBOT! —va tronar.

—No és ben bé el meu nom, però gairebé —va contestar el Robo-gos.

—On són els **mil milions de dòlars**?

El cap del Robo-gos es va girar com el d'un mussol.

La bossa amb els diners no era enlloc.

—Les rates! —va exclamar la **Ratti**.

—Torno de seguida, general! —va dir el Robo-gos, i va marxar volant de nou cap a la claveguera amb la **Ratti** encara a sobre el cap.

Tal com s'esperaven, les rates no eren gaire lluny. Sobretot perquè arrossegaven el sac de diners més feixuc de tot el món.

—ATUREU-VOS, EN NOM DE LA LLEI! —va exclamar el Robo-gos.

—Ai, hola, Robo-gos! —va contestar la rata petita—. Precisament ara et portàvem els **mil milions de dòlars**, oi?

Es va sentir un «visca» força desanimat de les altres rates.

—Sí, sí, és clar!

—Doncs anàveu en la direcció oposada! —va dir la **Ratti**.

—Ah, sí? Ai, coi, que despistades que som! Si us plau, no ens esclafis, Robo-gos! I ara assegura't de portar aquest tou de diners al banc abans que ens els gastem en formatge.

Al cap de poc, el sac de diners era als peus del general.

—Els **mil milions de dòlars**, general —va anunciar el Robo-gos.

—Per fi! —va exclamar l'home, mentre es disposava a agafar el sac.

—Perdoni, general —va interrompre la comissària—, però li he de dir que l'exèrcit no ha estat a l'altura de la feina!

—COM S'HI ATREVEIX! —va bramar ell.

—Oi tant que m'hi atreveixo! Ara aquesta missió és de la policia. O, més aviat, d'un gos policia molt especial! Robo-gos, assegura't que aquests **mil milions de dòlars** arriben bé al banc de la ciutat!

—Sí, comissària! —va contestar el Robo-gos, aferrant el sac amb les pinces.

—Ara mateix, comissària! —va afegir la **Ratti**, mentre li feia una petita salutació.

***FIUUU!***

Abans que el general pogués protestar, tots dos volaven per sobre de **BATIBULL**, amb el sac de diners rebotant al cim dels gratacels.

BOING!

BOING!

BOING!

CAPÍTOL DIVUIT

# UN FESTÍ A MITJANIT

Als carrers de la ciutat, els gats i el seu camió robat es dirigien a tot drap a **L'ESCOLA DE GOSSOS POLICIA**.

***BRRRUM!***

Aquest era el *SEGON PUNT* DEL MASTERPLÀ DELS GATS PER DESTRUIR EL ROBO-GOS:

TREURE TOTS ELS GOSSOS DE L'ESCOLA DE POLICIA TEMPTANT-LOS AMB LES LLAMINADURES ROBADES PERQUÈ EL ROBO-GOS ESTIGUÉS INDEFENS.

La Velma continuava al volant, donant instruccions als seus tres gats còmplices que feien moure el canvi de marxes i els pedals.

—Embragatge! Posa quarta! Semàfor vermell! Accelera!

No cal dir que al llarg del trajecte es van produir un munt de col·lisions.

BARRABUM! BUM!

PATAM!

Al cap de poc va començar a fosquejar i, finalment, van veure l'escola. La Velma va apagar el motor i va deixar que el camió avancés en silenci durant l'última part del trajecte. No volia despertar tots els gossos.

Llavors, amb el mínim soroll possible, els gats van fer un bot per sortir de la cabina i van anar de puntetes fins a un arbre, que tenia unes llargues branques que penjaven cap a l'interior del **pati d'armes**.

Sense gens de dificultat, es van enfilar a l'arbre i van saltar cap a dins de l'escola. Tot seguit, van obrir les grans portes de metall tan silenciosament com van poder i van maniobrar amb el camió fins a col·locar-ne la part posterior al mig de les portes d'entrada.

Després, van desplegar la rampa de darrere del camió i van descarregar totes les bosses de llaminadures per a gossos.

Amb les urpes afilades, van esquinçar les bosses.

**RAAAC!**

Aleshores van escampar les llaminadures des de la rampa del camió fins a l'altre extrem del **pati d'armes**.

La Velma va agafar una de les petites boles marrons amb l'urpa i la va ensumar.

—Quin fàstic! —va xiuxiuejar.

El Pavarotti se'n va posar una a la boca.

—Després d'haver-te'n cruspit cent —va balbucejar, mentre mastegava—, t'acostumes a aquest gust tan horrible.

Un cop creada la xarxa de camins de llaminadures més llarga del món, els gats van obrir sigil·losament les portes de les gosseres. A l'interior, els gossos roncaven després d'un intens dia d'entrenament.

—ZZZ!

L'única gossera que els va passar per alt va ser el petit cobert atrotinat que hi havia a l'altra banda del **pati d'armes**, que era, és clar, la casa de la **Patrulla Inútil**.

Quan van tenir totes les portes obertes, els gats van córrer cap al camió. Com que el Pavarotti era qui tenia la veu més forta, li va tocar a ell cridar…

—LLAMINADURES!

Bé, si hi ha una cosa que és seguríssim que despertarà qualsevol gos, és cridar la paraula «LLAMINADURES».

Instantàniament, els cent gossos ja estaven ben desperts i corrien pel **pati d'armes** per arreplegar tantes llaminadures com poguessin.

Allò era un festí de mitjanit de proporcions èpiques!

Els gossos no havien vist mai tantes llaminadures juntes!

Era com si els seus somnis, de sobte, s'haguessin fet realitat!

Poc sabien que allò estava a punt de convertir-se en un ***MALSON***!

El rastre de llaminadures conduïa directament fins a la part posterior del camió. Sense pensar en res més que en les seves panxes, els gossos van córrer rampa amunt i es van anar apinyant a dins. No van trigar gaire a cruspir-se les llaminadures del terra del camió.

NYAM! NYAM! NYAM!

Quan tots els gossos van ser a dins, el Nafrat va saltar des del sostre del camió per fer abaixar la persiana.

Ara els gossos estaven atrapats.

—VINGA! VINGA! VINGA! —va ordenar el Nafrat, picant al lateral del camió abans d'enfilar-se de nou a la cabina. El Gatusalem va posar primera mentre el Pavarotti pressionava l'embragatge.

CLANC!

Llavors, el Pavarotti va pitjar el pedal de l'accelerador.

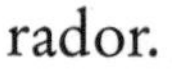

FUMP!

I la Velma va fer moure el volant, amb un somriure sinistre a la cara.

A la part posterior del camió, els gossos van deixar anar un udol esgarrifós.

**AUUU! AUUU! AUUU!**

Però ja no hi havia manera d'aturar aquells gats malvats.

Al cap de poc, el camió havia desaparegut en la foscor de la nit.

CAPÍTOL DINOU

# GOSGRESTATS!

La **Patrulla Inútil** s'havia perdut tot el drama. Mentre es produïa aquell enrenou, ells tres dormien profundament al seu cobert, sense assabentar-se de res. No va ser fins que el Robo-gos va tornar de la seva increïble aventura, que es van despertar i van descobrir el que havia passat.

—On són tots els gossos? —va preguntar el Robo-gos, quan va entrar al cobert. El gos robot havia quedat com nou després del repàs que l'atenta professora li havia fet al **LABORATORI**.

El Poruki, el Manta i la Toixa no es van alegrar gens de veure'l, sobretot a aquelles hores de la matinada.

—Au, calla, pot d'escombraries amb potes!

—Volem dormir!

—Que algú l'apagui!

Però el Robo-gos no es va donar per vençut.

—Acabo de comprovar **tres** vegades les gosseres i estan totes buides. Per què?

—Ja ho sé! —va contestar la Toixa. Els altres la van mirar sorpresos.

—Ah, sí?

—Perquè no hi ha gossos a dins.

El gos robot va apujar el to de veu.

—Sí, ja ho sé que no hi ha gossos a dins. Però per què?

—Potser han sortit a fer un riu? —va suggerir el Poruki. Per descomptat, ell no sortiria pas del cobert per investigar-ho.

—Exactament al mateix moment? —va preguntar el Robo-gos.

—Encara és fosc! —es va queixar el Manta, badallant—. Jo necessito les meves hores de son!

—MOLT BÉ, **PATRULLA INÚTIL**! —va lladrar el Robo-gos—. TOTHOM DRET ARA MATEIX!

Tots tres es van quedar exactament allà on eren. Per acabar de posar la cirereta al pastís, el Manta va alçar la pota i va fer una llufa. Una d'aquelles tan llargues i lentes que sona com una vespa voleiant abans de caure morta.

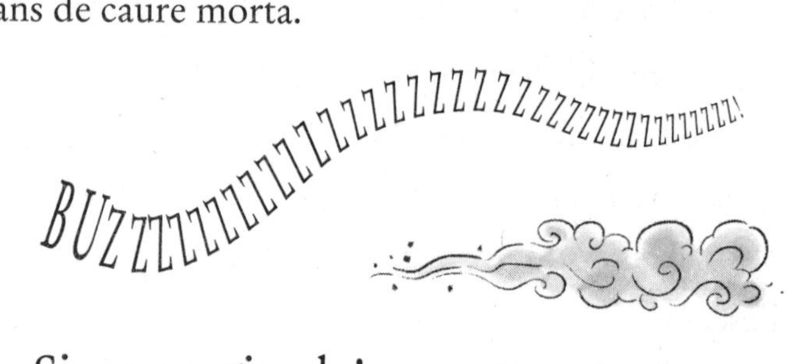


—Sirena: activada! —va ordenar el Robo-gos. A l'instant, es va encendre el llum blau de sobre el seu cap i va sonar una sirena. Els tres gossos no suportaven aquell estrèpit.

—AAAH!

—PARA!

—LES MEVES ORELLES! LES MEVES POBRES ORELLES SENSIBLES!

—Sirena! Més fort! —va lladrar el Robo-gos.

PIP! PIP! PIP! PIP! PIP! PIP!

Ara el soroll era **eixordador**.

—D'acord! D'acord! —va cridar el Poruki—. Ja t'escoltem, Robo-gos! Què vols?

—Sirena: desactivada!

La sirena es va apagar.

—Sembla que han gosgrestat tots els gossos de l'escola!

—Gosgrestat? —va replicar el Poruki.

—GOSGRESTAT? —va exclamar el Manta.

—GOSGRESTAT? —va cridar la Toixa—. Això és terrible! —Després, es va quedar pensativa un moment—. Perdona, què vol dir «gosgrestar»? Vol dir que els gossos s'han posat a fer un son?

—NO! —va contestar el Robo-gos—. VOL DIR QUE S'HAN ENDUT ELS GOSSOS CONTRA LA SEVA VOLUNTAT!

La Toixa va brandar el cap.

—Caram, això és terrible de debò —va mussitar, amb cara de perplexitat—. Què vol dir «contra la seva voluntat»?

—Vol dir que ells no volien marxar.

—Marxar on?

—No ho sé —va respondre el Robo-gos—. Això és el que HEM de descobrir.

La **Patrulla Inútil** se'l va quedar mirant.

—NOSALTRES? —van preguntar tots tres a l'uníson.

Mentrestant, els gats travessaven **BATIBULL** a tota pastilla amb el camió robat en direcció a **la Mansió Borrissol**.

BRUMMM!

Atenció! Aquest és el **TERCER PUNT** DEL MASTERPLÀ DELS GATS PER DESTRUIR EL ROBO-GOS:

**EMPRESONAR LA COMISSÀRIA I LA PROFESSORA!**

La Velma avançava tots els cotxes i xocava contra qualsevol que no s'apartés del seu camí.

*FIUUU!*

Al cap de poc, una dotzena de cotxes policia perseguien el camió.

NI-NO! NI-NO! NI-NO!

La Velma girava el volant a dreta i esquerra per treure'ls tots de la carretera.

I mentrestant, els gossos gosgrestats del darrere no paraven d'udolar...

**—AUUU! AUUU!**

... sacsejats d'una banda a l'altra del camió.

Un tros endavant, una filera de cotxes policia havia format una barricada a la carretera.

La Velma va ordenar al Pavarotti, que era al pedal de l'accelerador:

—Gas a fondo, nano!

El Pavarotti va seure sobre el pedal i el camió va sortir disparat.

*ZUMMM!*

Anava directe cap a la barricada.

—MÉS! MÉS!

El Gatusalem es va enfilar sobre el Pavarotti i el pedal de l'accelerador va tocar a terra.

*ZUMMMMMM!*

Els agents de policia van sortir disparats…

... quan el camió va envestir la filera de cotxes...

# PUF!

... els va enviar pels aires...

# *FIUUUU!*

... i es van estavellar contra el terra com llaunes.

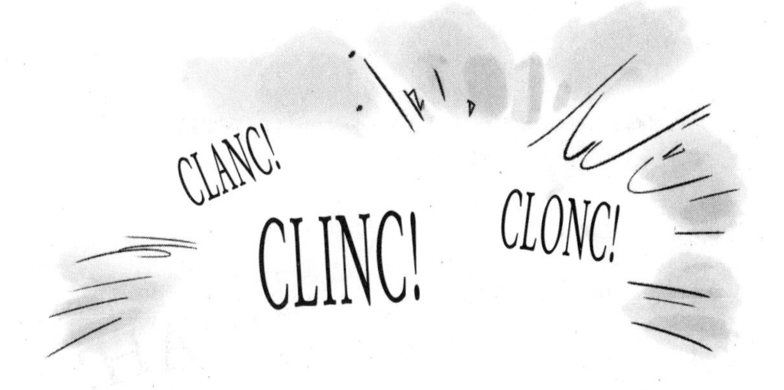


El camió continuava avançant a tot drap. La Velma era un dimoni de la velocitat. Fins al punt que, en comptes d'aturar-se davant de **la Mansió Borrissol**, va encastar el camió a la façana.

# BUM!

Tota la part frontal de la preciosa casa es va ensorrar.

***BARRABUM!***

La comissària i la professora es van despertar aterrides quan la paret de la seva habitació es va desplomar davant dels seus ulls.

—UN TERRATRÈMOL! —va xisclar la comissària, ja que era l'única explicació raonable per a l'ensorrament de la casa.

La professora es va aferrar a la comissària, molt espantada.

—O potser ens han tirat una bomba? —va cridar.

Un núvol enorme de pols i runa les va embolcallar, i totes dues es van posar a tossir.

—COF! COF!

Entremig del núvol, va aparèixer una figura familiar.

—VELMA? —van esgaripar totes dues.

Ara, la gata malvada estava asseguda al damunt de la cabina del camió, amb un somriure maliciós a la cara.

—HE! HE! HE! —va fer.

## CAPÍTOL VINT

# SUPERGATS!

—SÍ! —va exclamar el Robo-gos, encara al cobert de la **Patrulla Inútil**—. NOSALTRES! Hem de treballar junts per trobar els gossos gosgrestats. I ara us vull presentar una petita amiga que m'ha ajudat a capturar els dolents!

Llavors el Robo-gos va cridar:

—Ja pots entrar!

—Hi ha gossos aquí dins? —va dir una veueta des de l'altra banda de la porta.

—Només tres!

—N'estàs segur que no és perillós?

—Sí, seguríssim —va contestar el Robo-gos, abans de girar-se cap a la **Patrulla Inútil**—. No faríeu pas mal a un ratolí, oi?

—A un ratolí? No! —va exclamar el Poruki.

—I ara! Si són molt bufons —va afegir el Manta.

—Mai de la vida! —va dir la Toixa.

—Perfecte —va fer el Robo-gos, i es va tornar a girar cap a la porta—. Ja pots entrar, **Ratti**!

Els tres gossos es van mirar l'un a l'altre. Fins i tot la Toixa va pensar que era un nom estrany per a un ratolí.

Tímidament, la **Ratti** va entrar al cobert de puntetes.

—Hola! Soc la **Ratti**.

Els tres gossos van intercanviar una altra mirada.

—Estic segur que de seguida us fareu amics —va dir el Robo-gos.

—UNA RATA! —va cridar el Poruki.

Els tres gossos van perdre els estreps i van començar a udolar i a perseguir la rata pel cobert.

—PROU! —va ordenar el Robo-gos.

Però no podien parar. La visió d'aquella criatura els havia fet posar histèrics.

—Només soc un ratolí gros i lleig! —va xisclar la **Ratti**.

Però això no va servir per aturar-los. Van continuar la persecució, frenètics, picant contra les parets.

Al cap de poc, el cobert es va ensorrar.

Com que la **Ratti** ja no tenia enlloc on amagar-se, es va enfilar al cap del Robo-gos.

—ROBO-GOS! DIGUE'LS QUE PARIN! —va suplicar.

—PAREU! —va ordenar el Robo-gos. Llavors, amb l'ull làser va llançar un raig d'advertència.

El terra es va socarrimar.

FSSS!

I tot va quedar en calma, excepte pel grunyit dels tres gossos.

—GRRRRRRRRR!

L'única cosa que volien ara era caçar aquella rata. No hi havia res més important al món, a l'infinit ni més enllà!

—Com goseu fer això a un pobre **ratolí** indefens? —va preguntar el Robo-gos.

La **Patrulla Inútil** va intercanviar una mirada d'incredulitat.

—Això és una rata! —va exclamar el Poruki—. Els gossos cacen rates! Això és el que fem!

—Si fins i tot es diu **Ratti**! —va afegir el Manta—. **Ratti** la rata!

—Fins i tot jo sé que la **Ratti** és una rata, i mira que soc més ruca que un ruc! —va dir la Toixa.

—No insultis els rucs! —va comentar el Poruki.

—És un ratolí! —va insistir el Robo-gos.

—Això mateix —va dir la **Ratti**.

—I ara, pareu de comportar-vos així, **Patrulla Inútil**! Tenim coses més importants per fer —va afegir el Robo-gos—. Hem de trobar els nostres companys gossos!

—Potser al capdavall no és gaire bona idea —va murmurar la **Ratti**, mirant la **Patrulla Inútil** amb desconfiança.

—Companys gossos? —va dir el Poruki amb sorneguería.

—Sí —va respondre el Robo-gos, impassible.

El Poruki va posar els ulls en blanc. Ell i els seus dos amics peluts van començar a riure.

—HA! HA! HA!

—TU NO ETS UN GOS! —va exclamar el Poruki.

El Robo-gos va abaixar la vista a terra.

—És més gos del que tu arribaràs a ser-ho mai! —li va etzibar la **Ratti**.

Les rialles es van aturar en sec i els tres gossos van fer cara de pomes agres.

El Robo-gos va alçar el cap de metall.

—SEGUIU-ME! —va cridar, mentre ja havia començat a marxar—. Vinga, **Patrulla Inútil**! Aquesta és la vostra oportunitat de convertir-vos en uns **herois**!

—Hem de venir, de debò? —va preguntar el Poruki.

—SÍ!

Els dolents els duien molt d'avantatge. Ja havien passat al QUART PUNT DEL MASTERPLÀ DELS GATS PER DESTRUIR EL ROBO-GOS:

**OBTENIR SUPERPODERS!**

Els gats van obligar la professora a crear unes armadures especials blindades per a ells, iguals que la del Robo-gos. Si la professora no ho feia, la seva estimada esposa, la comissària, patiria un final terrible. Això ho va anunciar la Velma aguantant un bolígraf amb l'urpa i fent una sèrie de dibuixos, com aquest...

Els dibuixos eren prou esgarrifosos perquè la professora ho entengués perfectament!

—NOOOOOO! —va esgaripar.

**La Mansió Borrissol** era a la vora d'un penya-segat. La comissària estava lligada al seient del conductor del camió, i el camió estava col·locat a la vora del cingle.

Amb una petita empenta n'hi havia prou. Llavors, ella i els gossos caurien daltabaix i s'estavellarien contra les roques del fons.

Ja t'ho he dit, que era terrible.

La científica era un geni de primera classe, de manera que no va trigar gaire a fer les superarmadures. Els gats observaven el procés al **LABORATORI** de **la Mansió Borrissol**, amb les urpes a fora per si de cas a la professora se li acudia fer alguna cosa estranya.

—D'aquí a poc tindré poders mortals! Poders per destruir el ROBO-GOS! —va anunciar la Velma als altres tres gats.

—Tots tindrem superpoders! —va exclamar el Nafrat.

—Serem quatre contra un! —va afegir el Gatusalem.

—El Robo-gos no tindrà ni una oportunitat! —va retrunyir el Pavarotti.

Llavors, la Velma es va girar cap a la professora i li va ensenyar les urpes.

**—FFF!**

—Vaig tan ràpid com puc! —va protestar la professora, mentre encastava un coet propulsor a una rentadora.

Mentrestant, a **L'ESCOLA DE GOSSOS POLICIA**, el Robo-gos guiava la **Patrulla Inútil** pel **pati d'armes**.

—Llaminadures! —va exclamar el Poruki—. Les ensumo, però no en veig cap.

—Ni una! —va rondinar el Manta.

—Algú ha dit «llaminadures»? —va preguntar la Toixa.

El Robo-gos ho estava processant tot dins la seva ment metàl·lica, com un superdetectiu.

—És a dir, que algú ha posat tot un regueró de llaminadures perquè els gossos sortissin de les gosseres i així poder-los gosgrestar... —va mussitar.

—Això no és just! —va remugar la Toixa—. Tant de bo m'haguessin gosgrestat a mi.

—Però on els han portat? —va preguntar el Robo-gos.

Des de la seva posició avantatjada al cim del cap del gos robot, els ulls de la **Ratti** buscaven pistes.

—Roderes de camió! —va exclamar.

—Bona feina, **Ratti** —va contestar el Robo-gos—. Roderes de camió! Per tant, l'únic que hem de fer és seguir el rastre de les roderes i trobarem els gossos que s'han endut! Som-hi!

Dit això, el Robo-gos va sortir esperitat cap a la carretera.

*FIUUU!*

Els tres membres de la **Patrulla Inútil** el van observar mentre s'allunyava.

—Bé, ara ja ha passat la meva hora de dormir —va dir el Manta—. Feu-me saber com va la cosa. Necessito reposar. Ja us atraparé a l'hora de dinar! Però bastant després de dinar!

Els altres dos es van mirar, i llavors li van clavar un cop al cul.

—No! No! Manta! —va cridar el Poruki—. Això ho hem de fer junts!

A *la Mansió Borrissol*, les superarmadures per als gats ja estaven a punt.

*ROBO-GOS*

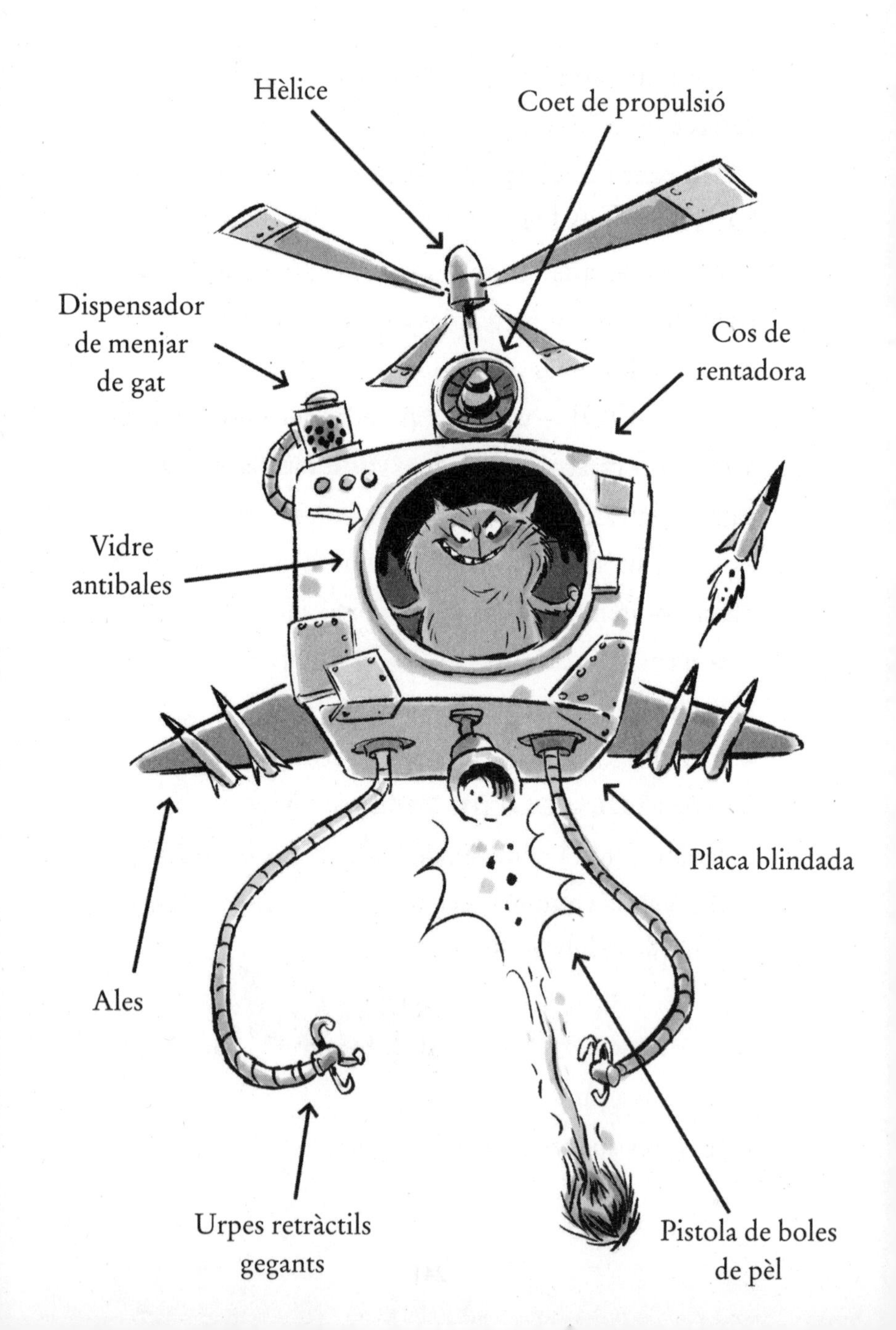
Hèlice
Coet de propulsió
Dispensador de menjar de gat
Cos de rentadora
Vidre antibales
Placa blindada
Ales
Urpes retràctils gegants
Pistola de boles de pèl

Amb uns somriures maliciosos, els quatre gats es van col·locar les armadures.

Un cop a dins, no eren només gats, eren SUPERGATS!

El primer que van fer va ser enlairar-se i sortir del **LABORATORI**, mentre arrossegaven la pobra professora amb les seves urpes de metall.

—NOOO! —va protestar ella, però no tenia res a fer amb quatre supergats. Van obrir la porta del camió i la van lligar al seient de l'acompanyant.

—No ha sigut pas la nit tranquil·la que esperàvem passar —va mussitar la comissària.

—No! —va admetre la professora.

—Ara ja podrem destruir el Robo-gos una vegada per totes! —va exclamar la Velma—. Anirem volant fins a **L'ESCOLA DE GOSSOS POLICIA** i l'esmicolarem en mil bocins metàl·lics! SEGUIU-ME!

La Velma va activar el coet de propulsió i va sortir volant pel cel de la nit.

**FIUUU!**

Els tres supergats la van seguir.

**FIUUU! FIUUU! FIUUU!**

A la vora del penya-segat, els gossos encara estaven tancats dins del camió. No paraven d'udolar perquè algú els anés a rescatar. Però les úniques persones que els podien sentir estaven lligades als seients del davant.

**—AUUU! AUUU!**

–ROBO-GOS! —va esgaripar la comissària—. Et necessitem! On ets?

*CRAC!*

El camió va trontollar a la vora del cingle. Només que bufés una petita ràfega de vent, caurien daltabaix i s'estavellarien contra les roques.

Mentrestant, el Robo-gos, la **Ratti** i la **Patrulla Inútil** ja havien arribat als afores de la ciutat. Les roderes del camió arribaven fins a la via principal que travessava el centre de **BATIBULL**. La carretera era un mosaic de roderes, o sigui que ara era impossible saber en quina direcció havia anat el camió.

—Què fem, ara? —va preguntar la **Ratti**.

Però abans que el Robo-gos pogués respondre, quatre taques de llum van il·luminar el cel nocturn.

—Què...? —va dir el Poruki.

No va ser fins que les taques es van anar acostant que el Robo-gos va distingir què eren.

—GATS! —va exclamar—. GATS VOLADORS!

—NO SOM NOMÉS GATS VOLADORS! —va cridar la Velma des de l'interior de la seva armadura blindada voladora—. SOM SUPERGATS! ROBO-GOS, ARA VENÍEM A BUSCAR-TE A **L'ESCOLA DE GOSSOS POLICIA**! PERÒ JA VEIG QUE ENS HAS ESTALVIAT UN TROS DE CAMÍ! PREPARA'T PER MORIR!

Dit això, va llançar un míssil des de la seva superarmadura.

*ZUMMM!*

I va anar de pet cap als gossos que hi havia a terra!

CAPÍTOL VINT-I-U

# REVENJA

El Robo-gos va haver de pensar ràpid.

—ENFILEU-VOS A LA MEVA ESQUENA! —va cridar als altres gossos.

El Poruki, el Manta i la Toixa van obeir-lo.

Tots els gossos, més la **Ratti**, van sortir disparats cap al cel quan el coet va esclatar.

BARRABUM!

—AU! —va esgaripar el Manta—. Se m'ha socarrimat el cul!

I era ben veritat, perquè li sortia fum i tot. Però ara mateix aquella no era pas la seva preocupació principal. Quatre supergats letals estaven a punt de liquidar-los.

Van disparar més míssils.

*FIUUUU!*

*FIUUUU!*

*FIUUUU!*

—Agafeu-vos fort! —els va ordenar el Robo-gos mentre els esquivava.

*ZIUUU!*

Els coets s'estavellaven contra els edificis del seu voltant i explotaven com boles de foc.

—PER QUÈ? —va cridar el Robo-gos—. Per què ho feu, això? Destruireu tota la ciutat de **BATIBULL!**

—Tant me fa! —va esgaripar la Velma—. M'és igual si queda arrasada! L'únic que vull és destruir-te a tu, Robo-gos!

—Però jo em pensava que érem amics!

—AMICS? —va etzibar la gata—. AMICS? Els gats odiem els gossos amb totes les nostres forces, i què hi ha pitjor que un gos amb superpoders?!

—Un gat amb superpoders? —va suggerir el Poruki, aferrant-se a l'esquena del Robo-gos per salvar la vida.

—Exacte! —va exclamar la Velma.

—On són els altres gossos? —va preguntar el Robo-gos.

—A punt de trobar el seu destí a la vora d'un penya-segat amb les teves precioses marones!

—NO! —va xisclar el Robo-gos—. Si us plau! No els facis mal, t'ho suplico!

—Per què t'importen tant?

El Robo-gos ho va rumiar uns instants, però la resposta era evident.

—Perquè les estimo!

La Velma va esbufegar.

—Però si ets de metall! Tu ets incapaç d'estimar!

—No! Ets tu, la que ets incapaç d'estimar! —va xisclar la **Ratti**.

—No pateixis, petitona —va parrupejar la Velma—. Tu també estàs a punt de morir. I ara, supergats, ja podeu disparar les boles de pèl. FOC!

Tots quatre van disparar unes enormes boles de pèl contra els gossos.

Les boles es van desintegrar amb l'impacte, i van deixar els gossos completament coberts de pèl. Un **enorme** núvol de pèl de gat humit va embolcallar els nostres **herois**, i ara el Robo-gos no podia continuar volant de cap manera.

—PREPAREU-VOS PER A UN ATERRATGE D'EMERGÈNCIA! —va exclamar.

—NOOOOOOOOOOOO! —van esgaripar els altres, mentre queien directes cap a terra.

—Fem un forat per sortir d'aquí! —va cridar la **Ratti**.

—No penso ficar-me pèls de gat a la boca! —va replicar el Poruki.

—Si no ho fem, ens morirem! —va contestar el Robo-gos.

Amb l'ull làser, el Robo-gos va començar a retallar un forat a l'embolcall.

**TXAC! TXAC!**

Els altres ho van fer amb la boca.

—Quin fàstic! —va remugar el Poruki, amb la boca plena de pèls.

—Va, calla i menja! —va cridar el Manta.

—Ai, doncs a mi m'agrada el gust que tenen! —va afegir la Toixa.

Instants abans de tocar a terra, l'embolcall de pèl de gat es va partir en dos, va caure i el Robo-gos va sortir disparat enviant de nou tota la colla cel amunt.

—JA TORNEM A SER AQUÍ! —va exclamar el Robo-gos.

—Ara és l'hora... de la REVENJA! —va dir la **Ratti**—. Serà bufar i fer ampolles!

—Ampolles? Que tens set? —va preguntar la Toixa.

—No! És una manera de parlar! —va etzibar el Robo-gos—. Els hem d'aturar! Em llançaré en picat sobre aquell d'allà... —va dir, assenyalant el Pavarotti.

El Pavarotti tenia una superarmadura més gran que els altres gats. Estava feta amb una rentadora de mida industrial.

—Quan sigui el moment oportú, cridaré ARA! I llavors, Poruki, saltes a sobre seu i el redueixes.

—Per què jo? —va replicar, tremolant.

—Perquè ets el més àgil, i l'únic que pot fer el salt!

—Però... —va protestar el Poruki.

—Res de però!

—És que em puc morir!

—I no és millor morir com un heroi que no pas viure com un covard? —va dir la **Ratti**.

El Poruki ho va rumiar uns instants.

—Mira, no em faria absolutament res viure com un covard!

—ARA! —va cridar el Robo-gos.

El Poruki va tancar els ulls ben fort i va saltar de l'esquena del Robo-gos en direcció al Pavarotti.

Sense paracaigudes, va caure com un sac de patates.

**PLOP!**

Es va estavellar contra l'esquena del Pavarotti. Es va produir una lluita enmig del cel, tot i que l'únic que feia el Poruki era tancar els ulls ben fort i donar cops amb les potes del davant.

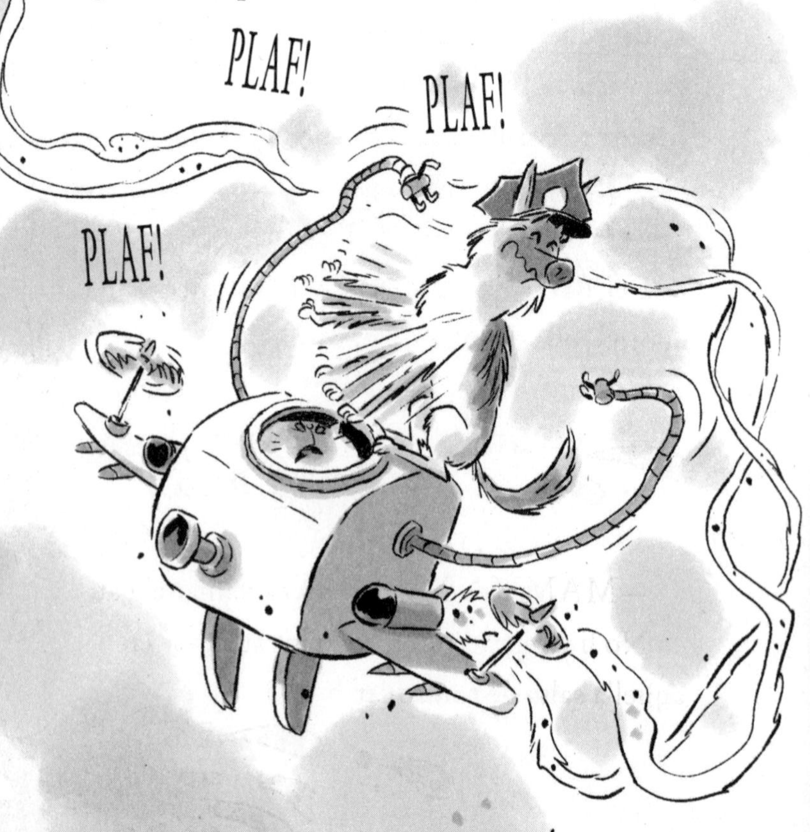

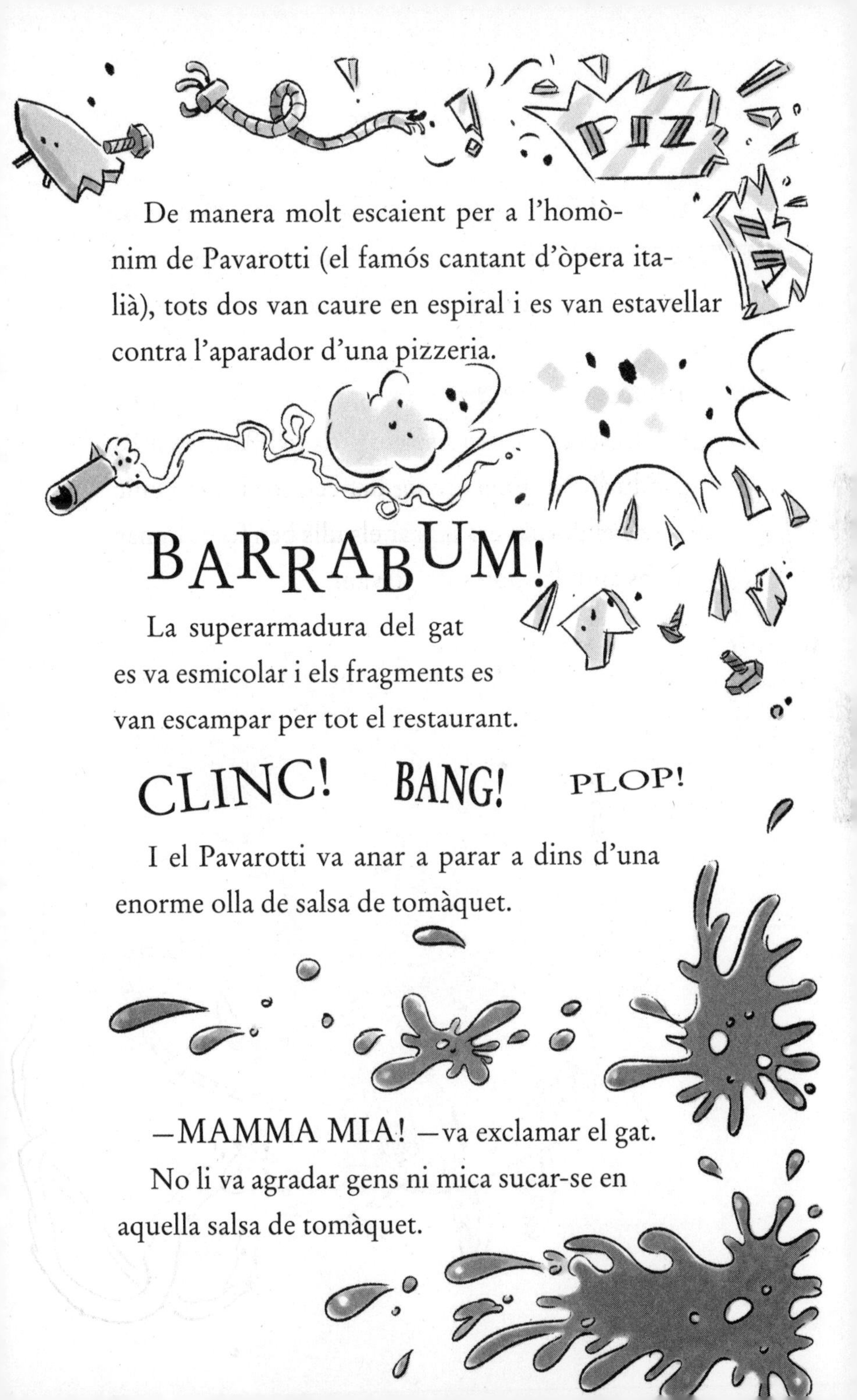


De manera molt escaient per a l'homònim de Pavarotti (el famós cantant d'òpera italià), tots dos van caure en espiral i es van estavellar contra l'aparador d'una pizzeria.

BARRABUM!

La superarmadura del gat es va esmicolar i els fragments es van escampar per tot el restaurant.

CLINC! BANG! PLOP!

I el Pavarotti va anar a parar a dins d'una enorme olla de salsa de tomàquet.

—MAMMA MIA! —va exclamar el gat.

No li va agradar gens ni mica sucar-se en aquella salsa de tomàquet.

Just quan el Poruki estava a punt d'arreplegar un tros de pizza de *pepperoni* que hi havia per allà, algú el va alçar enlaire per la cua.

—Què fas, nano...?

El Manta l'havia agafat, i va dipositar el seu amic altra vegada sobre l'esquena del Robo-gos.

El Robo-gos va exclamar:

—Ben fet, Poruki! Un menys! Ja només en queden tres!

Però encara era massa aviat per a celebracions, perquè el Nafrat estava disposat a abatre aquells gossos com fos. Amb la seva superarmadura, va baixar en picat i va xocar contra el Robo-gos.

# CLUNC!

Metall contra metall.

Llavors el gat es va posar dret amb les seves potes metàl·liques i va començar a lluitar contra els tres gossos i la rata.

—Ens farà caure a tots! —va cridar el Manta.

—Prepareu-vos per morir, gossets! —va xiuxiuejar el Nafrat.

—Cap gos morirà sota la meva custòdia —va dir el Robo-gos.

Va volar com una fletxa cap a un pont que travessava el riu.

—Ajupiu-vos! —va cridar.

—Ens ajupim i fem la conga? —va preguntar la Toixa.

—NO! ABAIXA EL CAP!

—A baix hi ha un cap? De què?

—Que abaixis el teu cap, si us plau, ara mateix! —va ordenar el Robo-gos.

Els gossos el van obeir i el Robo-gos va passar a tota pastilla per sota l'arcada del pont.

*FIUUUU!*

El robot va passar just arran de l'estructura, però el Nafrat va picar-hi amb el cap.

**CLONC!**

Va caure de l'esquena del Robo-gos i es va precipitar cap a les aigües del riu Fangós.

XOF!

—AAAH! —va cridar, quan es va submergir a l'aigua bruta de color marró.

Encara amb la superarmadura de rentadora, el corrent del riu se'l va endur cap a l'oceà.

ZUM!

Mentre els gossos veien com desapareixia riu avall, es va produir una explosió sobre els seus caps.

BUM!

I una altra!

BUM!

I una altra!

BARRABUM!

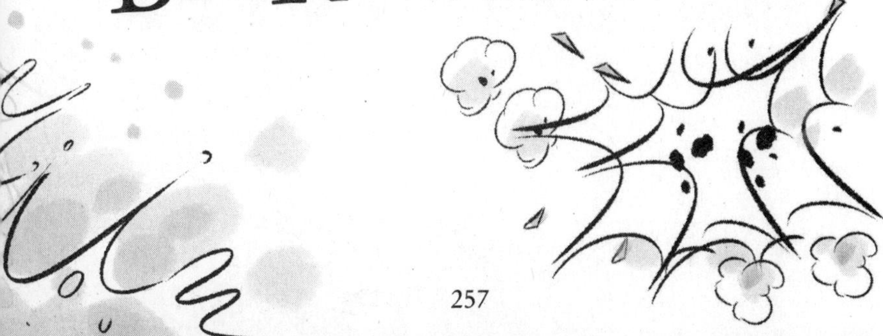

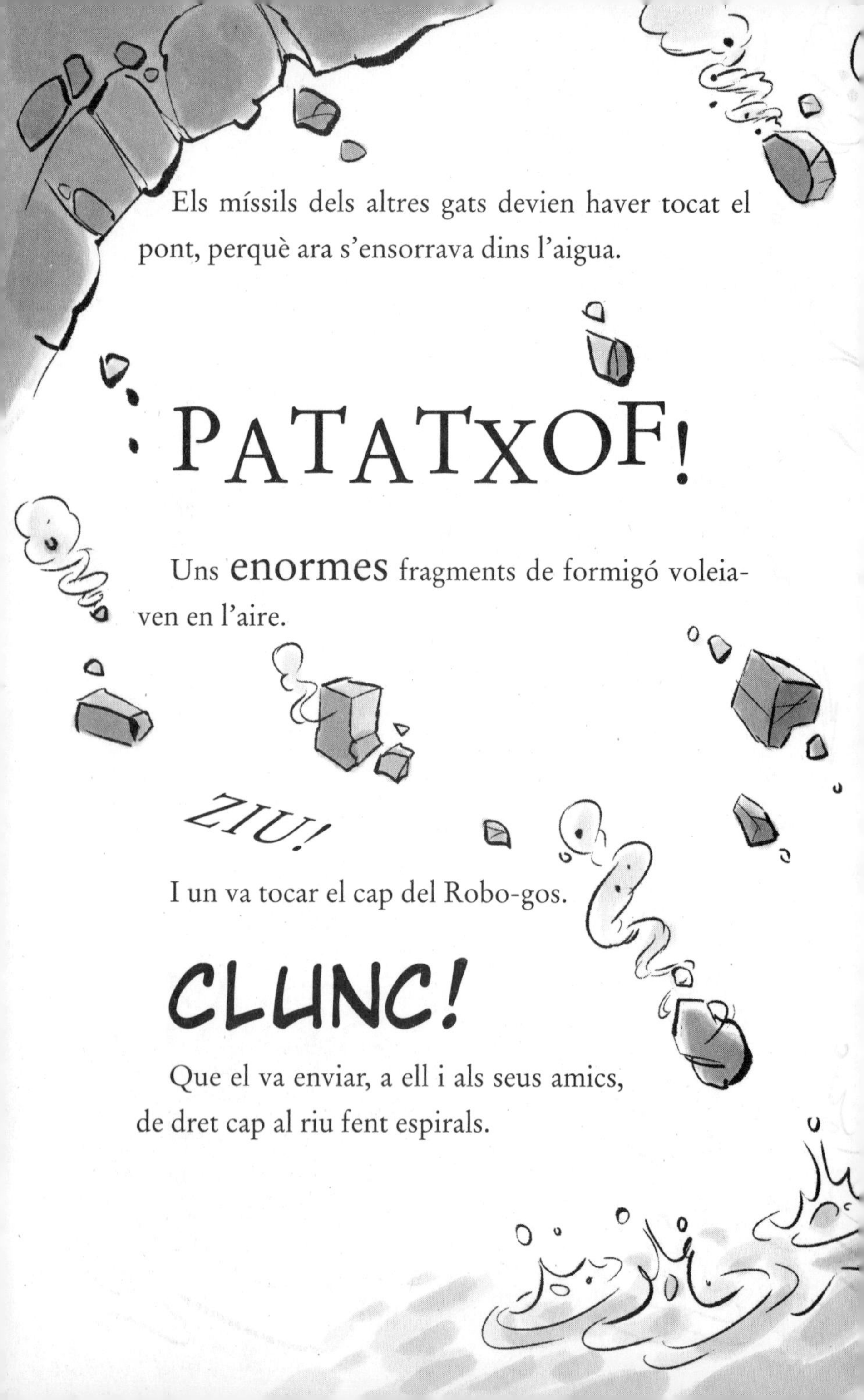

Els míssils dels altres gats devien haver tocat el pont, perquè ara s'ensorrava dins l'aigua.

PATATXOF!

Uns **enormes** fragments de formigó voleiaven en l'aire.

ZIU!

I un va tocar el cap del Robo-gos.

CLUNC!

Que el va enviar, a ell i als seus amics, de dret cap al riu fent espirals.

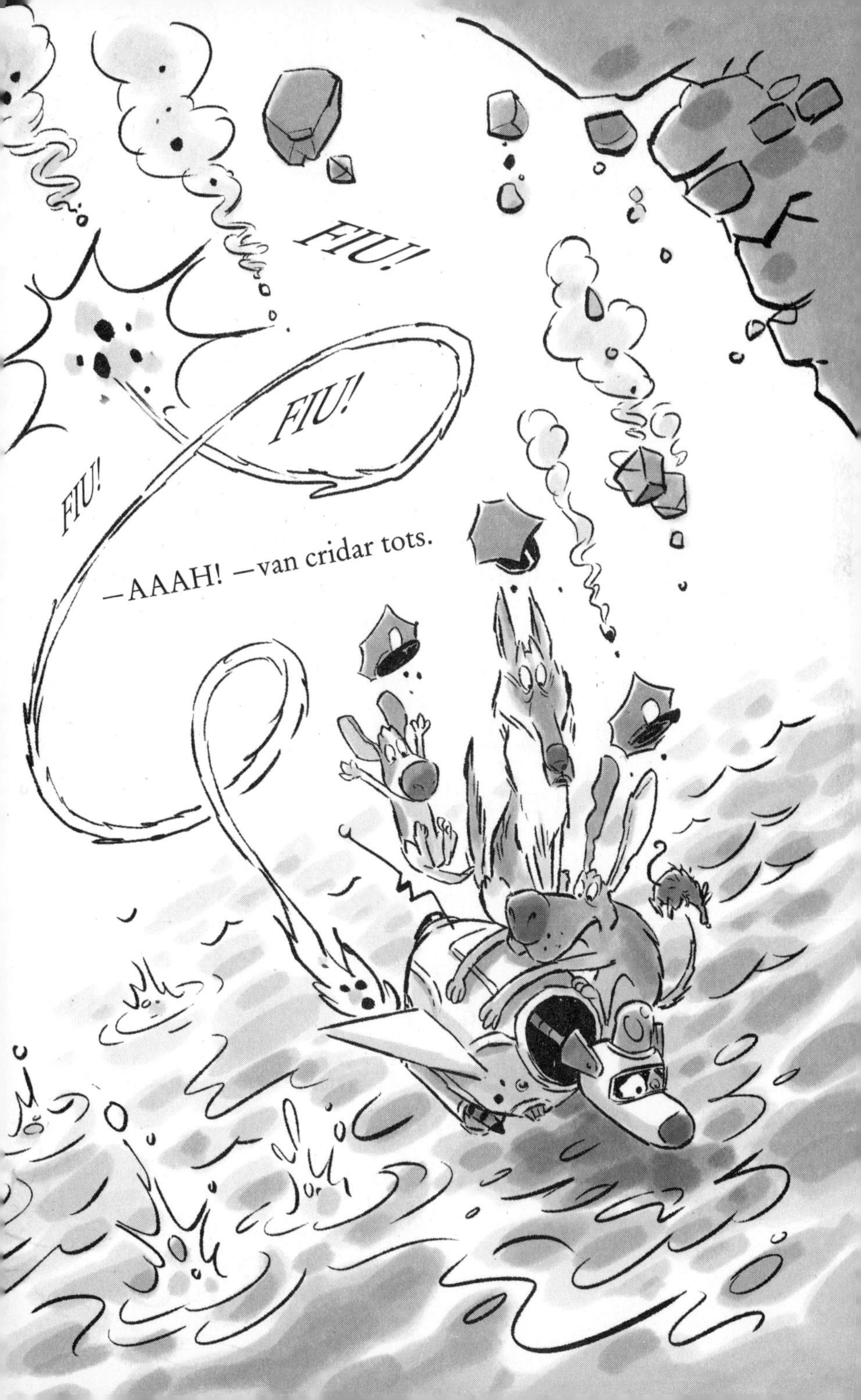


—AAAH! —van cridar tots.

CAPÍTOL VINT-I-DOS

# ELS SUPERDOLENTS DE BATIBULL

Els nostres **herois** van entrar a les aigües pestilents amb una esquitxada gegantina.

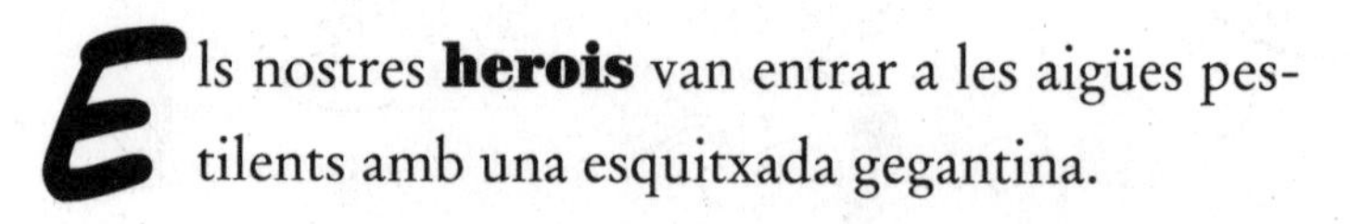


—Mode **SUBCANÍ**: activat! —va cridar el Robo-gos.

Immediatament, li van sortir les aletes i l'hèlice es va engegar.

**CLIC!** *RRR!*

Amb la **Ratti**, el Manta, el Poruki i la Toixa aferrats més forts que mai, el Robo-gos va anar avançant per sota l'aigua. Per tot al seu voltant anaven caient grans fragments de formigó...

… i s'enfonsaven al llit del riu.

El Robo-gos va accelerar fins que van ser prou lluny del pont ensorrat. El robot podia estar-se hores sota l'aigua, però els altres haurien d'agafar aire en qualsevol moment. Sobre la superfície del riu, el Robo-gos distingia un dels supergats sobrevolant les aigües. Sens dubte, estava esperant per veure si els gossos s'havien ofegat o no.

El Robo-gos es va aturar sota l'aigua per passar desapercebut, però les bombolles d'aire dels altres gossos els delataven.

BLUP! BLUP! BLUP!

Seguint el rastre de bombolles, el Gatusalem va prémer el botó per disparar un míssil dins de l'aigua i liquidar els gossos d'una vegada!

BUM!

La Toixa ja no es podia aguantar més la respiració. Per obrir-se pas cap a la superfície, va agafar embranzida des de l'esquena del Robo-gos amb una pota, i sense voler va tocar una palanca.

CLANC!

Era la palanca del coet de propulsió.

De sobte, tots van sortir disparats del riu, directament cap on era el Gatusalem.

El coet va explotar sota seu...

***BUM!***

... just quan el morro del Robo-gos xocava contra el Gatusalem.

CLUNC!

De sobte, tots volaven projectats cel enllà.

*FIUUU!*

—PAREU! —va xisclar el Gatusalem.

Però la Toixa tenia la pota sobre la palanca del coet de propulsió. No podien parar. Al cap de poc van travessar els núvols i es dirigien a

**L'ESPAI EXTERIOR!**

No sé si has estat mai a l'espai, però hi fa un fred que pela! Sens dubte necessites un bon jersei.

La gossa va apartar la pota de la palanca i el Robo-gos es va aturar de cop. No obstant això, el Gatusalem havia agafat tanta embranzida que va continuar volant a tota velocitat.

FIUUU!

El gat anava directe cap a la lluna!

US ATRAPARÉ!

—va esgaripar des de dins de la superarmadura mentre s'allunyava volant.

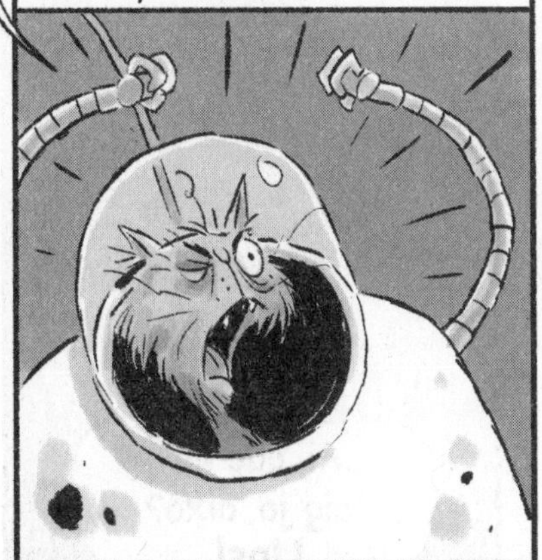

Fins que es va estavellar contra la lluna amb un...

... i la superarmadura se li va abonyegar.

Al principi el gat es va emocionar.
SOC EL PRIMER GAT QUE HA ARRIBAT A LA LLUNA!
CLIC...
CLIC...
CLIC...
Però després va intentar activar el coet de propulsió i es va adonar que havia quedat allà atrapat. Per sempre més.
OH!

Mentrestant, els nostres **herois** baixaven de nou cap a la Terra. El fred intens va quedar neutralitzat immediatament per l'escalfor intensa que es va crear en el moment de tornar a l'atmosfera terrestre.

—OOOOOOH!

El Robo-gos va anar directe cap a la gran font que hi havia a la plaça Major de **BATIBULL**.

Tots es van sucar en l'aigua fresca.

—AH! —van sospirar junts.

Però el moment de satisfacció va durar ben poc, perquè una ombra tornava a planar sobre seu.

—VELMA! —va cridar el Robo-gos.

—Abans de liquidar-vos a tots, deixeu-me presentar-vos uns amics meus que he alliberat de la presó!

Tot seguit, unes figures terrorífiques van aparèixer entre les ombres.

Eren en **SUPERMENT** i la **MADEMAR-TELL**!

—Ens tornem a trobar, Robo-gos! —va dir el cervell gegant dins del pot de vidre, mentre la seva seqüaç l'empenyia des de darrere.

—No sé què teniu intenció de fer —va començar la Toixa—. M'imagino que alguna malifeta, però us sap greu esperar-vos un moment? Encara em crema el cul.

—**MADEMARTELL**! —va cridar el cervell.

La dolenta sabia exactament què havia de fer. Es va començar a fregar les mans de martell a una velocitat increïble, fins que en van sortir guspires i es van tornar vermelles.

PXX! PXX!

Ara, els dos martells estaven roents, i els va plantar al cul de la gossa.

*FSS!*

—AUUUUUU! —va udolar la Toixa. Ara tenia el cul vermell viu.

—L'has deixat com un babuí! —es va queixar el Manta.

—HA! HA! HA! —van riure els dolents, sobretot la Velma.

Tot i que el Manta era el gos més mandrós del

món, el fet de veure que la seva amiga patia el va omplir d'una energia renovada. Amb totes les seves forces, va saltar de manera desafiadora sobre la **MADEMARTELL**.

*ZIU!*

—**GRRRRRR!** —va grunyir el Manta.

Però quan era a mig salt, la Velma li va disparar una bola de pèl.

**PUF!**

La bola el va cobrir de pèl a l'instant. Incapaç de moure ni un múscul, el Manta va caure a terra amb un...

**PATAM!**

—Ho veus? —va exclamar la Velma—. Soc totpoderosa!

—SOCORS! —va cridar una veu esmorteïda.

—Qui ho ha dit, això? —va preguntar la Toixa.

—Jo..., el Manta! —va cridar la veu—. Estic atrapat sota aquest embolcall de pèl!

—Ai, coi. Com s'hi està?

—Sincerament, fatal!

—COBREIX-TE! —va exclamar el Robo-gos. Va activar el làser del seu ull.

El raig vermell va retallar l'embolcall de pèl i el Manta va quedar alliberat.

—Gràcies! —va dir el gos.

—No ets res més que un gat dins d'una rentadora! —va dir la **Ratti**, agitant la pota cap a la Velma—. No et facis l'espavilada!

—Oh, però tinc tot un exèrcit. Un exèrcit de dolents. Fa un moment he perforat el mur de la presó de **BATIBULL** i he alliberat tots els malvats criminals! Ara no només podré destruir-te a tu, Robo-gos, i a tots els gossos del planeta, sinó que podré GOVERNAR EL MÓN!

—Oh, no! —va exclamar la **Ratti**—. Aquests superdolents sempre acaben ben sonats!

En aquell moment, de tot el voltant de la font van

aparèixer més figures terrorífiques entre les ombres. Eren els SUPERDOLENTS de **BATIBULL**!

Mentre formaven una rotllana al voltant dels **herois**, la Velma va parrupejar:

—Ho veieu, gossos? No teniu escapatòria! Esteu... **ACABATS!**

CAPÍTOL VINT-I-TRES

# SUPERATS

Els nostres **herois** no podien pas competir amb tots aquells superdolents. Els gossos, la rata i també el Robo-gos van començar a tremolar de por quan van quedar encerclats. A un d'ells fins i tot se li va escapar una llufa...

PFFF!

... però no era el moment de discutir-se per veure qui havia sigut.

La **DOCTORA PUDENT** va obrir la boca i va llançar un núvol verd de gas podrit a sobre d'ells.

ZUM!

La **Reina de Gel** va estirar el seu dit glacial per congelar-los per sempre més.

En **SUPERMENT** rondava al seu voltant com una medusa.

—Estic rumiant alguna cosa especialment dolenta! Espereu-vos un moment!

El Monstre Pessigolles va estirar els seus braços llarguíssims disposat a fer-los pessigolles fins a matar-los.

—NOOO!

La **PETANERA EMMASCARADA** es va girar d'esquena i els va disparar un pet en forma de bola de foc.

La **MADEMARTELL** va començar a picar amb els dos martells **enormes** de manera amenaçadora.

El Xocolater va obrir la capsa de bombons més **gran** que hagis vist mai.

—Agafeu-ne, vosaltres mateixos! Però vigileu amb els de cafè!

—No! **No!** Els de cafè, no!

**L'OGRE DELS DOS CAPS** estava massa enfeinat discutint-se amb si mateix.

—Els penso destruir!

—No! Ho faré jo!

—Abans et destruiré a **tu**!

El **Professor Calamars** va lliscar cap a ells agitant els braços, preparat per disparar-los **tinta negra** als ulls.

La Política, a qui van trobar coberta de pols i teranyines, anava donant voltes sobre un tema o altre.

—I al final del dia, quan s'ha dit i s'ha fet tot, el que necessitarà aquesta nostra ciutat és... BLA-BLA-BLA!

—ZZZ! ZZZ! ZZZ!

Era impossible mantenir-se despert amb aquell rotllo!

En **Big Bad Bob** va començar a picar contra el terra amb els seus punys enormes, i provocava petits terratrèmols.

La **Directora Malvada** se'ls va acostar amb una muntanya de llibres d'exercicis.

—Vull que m'entregueu aquests deures a primera hora del matí, o quedareu castigats per sempre més!

—NOOOOOOOOO!

El ***Cuc Gegant*** en realitat no va fer res, però no calia. Era un cuc gegant; ja n'hi havia prou amb això!

—Estem perduts! L'única possibilitat que tenim de sortir d'aquí és superar-los en intel·ligència! —va exclamar el Robo-gos.

—Bé, m'ha agradat molt coneixe-us a tots, però jo me les piro —va xiuxiuejar el Poruki.

—Tant de bo m'hagués quedat al llit —va mussitar el Manta.

—Què vol dir «superar-los»? —va preguntar la Toixa.

—Ja sé que soc la més gran i la més forçuda de tots —va dir la **Ratti**—, però aquesta vegada he de donar la raó al Robo-gos. Hem de fer servir el cervell!

—El què? —va preguntar la Toixa.

Com que era una criatura tan petita, la **Ratti** sempre havia hagut de fer servir la intel·ligència per sobreviure. El cap li bullia ple d'idees, fins que en va trobar una d'especialment brillant.

CLINC!

Una idea que estava segura que derrotaria aquells dolents.

**FFFS!**

Ara, tots els dolents s'havien acostat una mica més als nostres **herois** i els envoltaven amb aire amenaçador.

La **Ratti** va alçar una pota.

—Perdoneu. Em sap greu ser una aixafaguitarres, però tinc una pregunta. Velma!

—QUÈ? —va replicar la gata.

—Escolta, quan has dit que governaries el món, et referies a tu sola?

—Bé —va començar la Velma—, jo hi estaré al capdavant, evidentment, però...

—Però només ets una gata! —va exclamar el Manta.

—Com t'atreveixes! —va bramar la Velma.

—És ell que s'hi atreveix! Jo no, eh! —va afegir el Poruki.

—Perdoneu —els va interrompre en **SUPERMENT** des de dins del pot—. Soc tan intel·ligent, i el meu cervell és tan gran, que sé parlar gos, gat i rata. He de reconèixer que els gossos i la rata tenen raó en una cosa. És a dir, seria una mica incòmode que el cervell criminal més gran que ha vist mai el món hagués d'obeir les ordres d'una simple mixeta!

Es van sentir murmuris d'acceptació dels altres superdolents.

—A mi tant me fa! —va dir un dels caps de l'Ogre.

—A mi no! —va dir l'altre.

—SILENCI! —va ordenar la Velma—. Us he alliberat a tots de la presó, us en recordeu? Em mereixo manar! I jo tota sola governaré el món per sempre més!

—Apa aquí! Ara diu per sempre més! —va exclamar la **Ratti**—. Està ben SONADA!

—Us traduiré el discurs de la gata! —va dir en **SUPERMENT**.

Quan va acabar, tots els dolents van reaccionar.

—Jo ja estava bé a la presó.

—Sí, tres àpats calents al dia.

—I els dijous al vespre, partida de Scrabble.

—El meu segon cap i jo no vam tenir ni temps d'habituar-nos-hi que ja ens en van alliberar!

—I jo he estat cavant un forat per escapar-me'n. He trigat deu anys! I ara resulta que ha sigut una pèrdua de temps!

La Velma estava enfurismada. La finestra rodona de la rentadora de la seva superarmadura es va entelar i un petit eixugaparabrises va començar a moure's a dreta i esquerra per netejar-lo.

NYIC! NYIC!

La gata va remugar, escopint una mica de saliva al vidre. El petit eixugaparabrises va tornar a fer el grinyol.

NYIC! NYIC!

—Tornant al tema aquest de «qui hauria de governar el món» —va continuar en **SUPERMENT**—, com a dolent més dolent de tots els dolents, crec que hauria de fer-ho jo. Tots els que hi estiguin a favor que diguin «sí». SÍ! Doncs tema resolt.

Els superdolents es van esvalotar.

—NO!

—AIXÒ MAI!

—TU NO!

—JO GOVERNARÉ EL MÓN!

—NO, JO!

—JO!

—EL QUE NECESSITA AQUEST PAÍS... BLA-BLA-BLA!

La **MADEMARTELL** era una dona de poques paraules, o sigui que en comptes de parlar va esclafar el pot de vidre del seu capitost amb els martells.

**CRAC!**

El pot es va esquerdar i es va trencar en mil bocins. El megacervell es va escampar per terra.

XOF!

—NOOOOOO! —va cridar.

La **MADEMARTELL** va córrer per intentar recollir en **SUPERMENT**, però els martells no li van deixar fer-ho.

I el cervell va desaparèixer per una claveguera.

GLUP!

—SOCORS! —va cridar en **SUPERMENT**. Però ja era massa tard. Un riu de ronya l'arrossegava a les clavegueres de la ciutat.

La **MADEMARTELL** es va desfer en un mar de llàgrimes.

—UÀ! UÀ! UÀ!

Tot seguit, molt angoixada, va alçar les mans per sobre el cap i sense voler va clavar-se un cop ella mateixa.

**CLONC!**

La **MADEMARTELL** va caure desplomada a terra amb un estrepitós PATAM!

—Així, qui és el més dolent de tots els dolents? —va preguntar el Robo-gos, picant l'ullet als seus companys. Sabia que això faria enfurismar aquella colla de malvats.

—JO SOC EL MÉS DOLENT!

—NO! SOC JO LA MÉS DOLENTA!

—JO SOC EL MÉS DOLENT DE TOTS ELS DOLENTS!

—JO SOC LA DOLENTA QUE TOTS ELS ALTRES DOLENTS, FINS I TOT ELS DOLENTS

DE DEBÒ, DIUEN QUE ÉS LA DOLENTA MÉS DOLENTA QUE HA EXISTIT MAI!

Les veus van anar pujant de to. Els dolents estaven fent de dolents. Fins i tot hi va haver alguna empenta.

—Només hi ha una manera de resoldre-ho! —va intervenir la Toixa—. LLUITANT!

—Ets un geni, Toixa! —va exclamar el Robo-gos—. UNA LLUITA!

I llavors es va iniciar una cruenta baralla entre els dolents.

I VAN LLUITAR MOLTÍSSIM!

El **Professor Calamars** llançava tinta negra als ulls.

Unes grans boles de pets en flames sortien disparades del cul de la **PETANERA EMMASCARADA**.

POMP!

Un núvol enorme de gas verd de la **DOCTORA PUDENT** va fer tossir tots els dolents.

La Directora Malvada va començar a llançar llibres d'exercicis als caps de tothom.

PLAF! PLAF! PLAF!

DEURES! DEURES! DEURES!

La Reina de Gel va convertir el *Cuc Gegant* en un bloc de gel! Ara semblava un gelat gegant!

A la Política la van obligar a menjar-se els bombons amb gust de cafè del Xocolater, i es va desplomar traient escuma per la boca.

—GLU-GLU!

El Monstre Pessigolles va intentar matar en **Big Bad Bob** de pessigolles.

—HA! HA! HA!

Però l'únic que va passar va ser que en **Big Bad Bob** es va pixar a sobre.

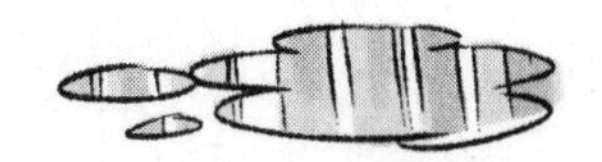

I pel que fa a l'**OGRE DELS DOS CAPS**, no calia amoïnar-s'hi, perquè es van barallar entre ells.

La baralla dels dolents era tan gran que els bons ho van aprofitar per esquitllar-se en la foscor de la nit.

Ara havien d'anar a rescatar els seus companys gossos!

# CICLE DE CENTRIFUGAT

Sobrevolant **BATIBULL** a l'esquena del Robo-gos, la colla va arribar a *la Mansió Borrissol* en un tres i no res.

—ROBO-GOS! —van exclamar la comissària i la professora quan el van veure il·luminant el cel nocturn. Encara estaven lligades als seients del camió, que es balancejava al caire del penya-segat com un balancí.

El Robo-gos es va acostar al camió. Sense

pensar-s'ho dues vegades, la **Ratti** va saltar de sobre el gos robot fins al capó del camió.

CLINC!

—Jo us salvaré! —va exclamar heroicament, desitjant una mica d'acció.

La **Ratti** pesava molt poc, però n'hi va haver prou per fer trontollar el camió cingle avall.

—NOOOOOO! —van esgaripar les dues dones.

—AUUUUUUUUU! —van udolar els gossos.

—PERDÓ! —va cridar la **Ratti**.

*ZIU!*, va fer el camió mentre queia en picat.

La **Ratti** va relliscar del capó i va xisclar en veure que també queia cap avall.

—AAAHHH!

—AGAFEU-VOS FORT! —va ordenar el Robo-gos—. COET DE PROPULSIÓ: FOC!

FIIIUUU!

Amb la **Patrulla Inútil** aferrada a l'esquena, el Robo-gos va baixar a la velocitat de la llum.

—ELECTRO-IMANT: ACTIVAT!

L'estri li va sortir de la panxa i es va enganxar a la part frontal del camió.

CLONC!

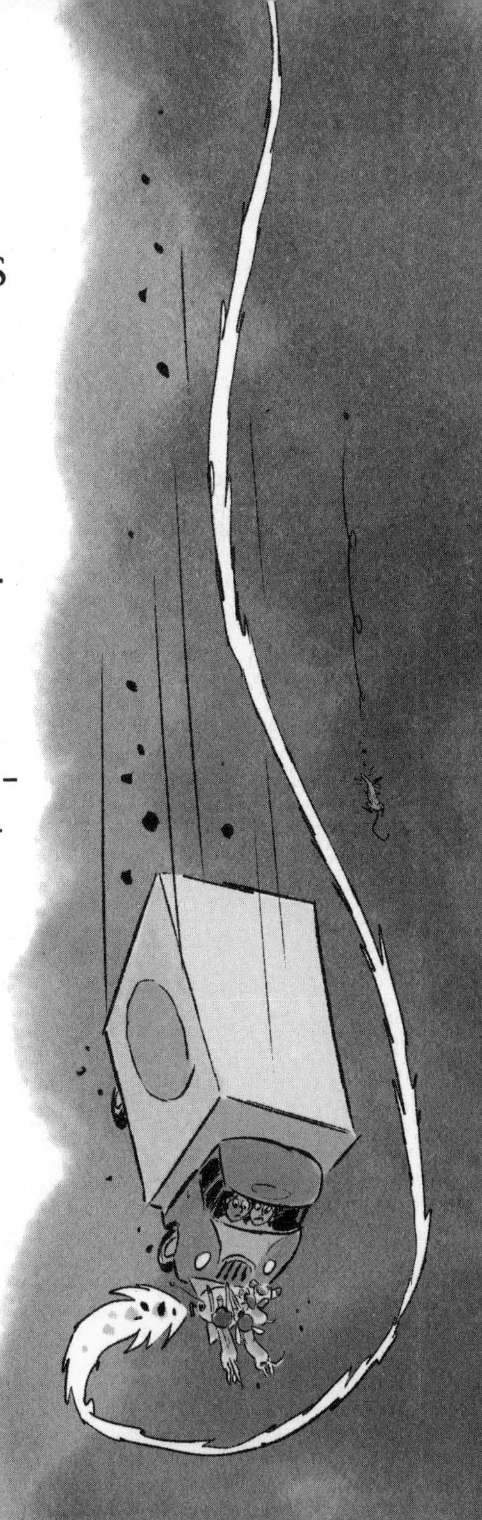

Però la **Ratti** continuava caient al buit.

El Manta va obrir la boca i va mossegar la cua de la rata quan passava volant pel seu costat...

NYAC!

... i la va salvar de convertir-se en xixines a les roques del fons del penya-segat.

—UAU! —va fer la **Ratti**—. Gràcies! No volia perdre'm la segona part d'aquesta història, si és que n'hi ha alguna!

Llavors, el Robo-gos va pujar volant per la paret del cingle i va dipositar el camió al jardí de la casa de camp.

La **Patrulla Inútil** va baixar de l'esquena del Robo-gos i va córrer a alliberar els gossos del camió. Van udolar d'alegria, quan per fi van poder sortir d'allà dins.

***—AUUU!***

Uns quants van córrer a buscar un arbre per ferhi un riu, després de tanta estona tancats.

PXXXXXX!

Amb tants gossos pel voltant, la **Ratti** va pensar que valia més passar desapercebuda. Per tant, es va enfilar a un abeurador d'ocells i va observar orgullosa com es desenvolupava l'escena.

—AH! —va sospirar.

Un cop el Robo-gos va haver tallat les cordes amb l'ull làser...

**TXAC! TXAC!**

... la comissària i la professora van sortir del camió i van abraçar el gos robot. Tant era que fos de metall, el van abraçar tan fort com van poder.

—Gràcies a Déu que has tornat —va sanglotar la comissària.

—No et creuràs el que ha passat! —va afegir la professora.

—Oh! Ja ho sé —va dir el Robo-gos—. Però ara no podem perdre temps. La Velma ha alliberat de la presó tots els superdolents de **BATIBULL**!

—Què dius que ha fet?! —va exclamar la comissària.

De sobte, tots els gossos s'hi van acostar per sentir què deien.

—Per tant, hem de treballar en equip per trobar-los, detenir-los i tornar-los de seguida a la presó! —va proclamar el Robo-gos—. De moment, els hem deixat distrets barallant-se els uns amb els altres, però aviat se'n cansaran.

Es van sentir udols d'assentiment dels gossos.

**—AUUU!**

—Sobretot la Velma! —va dir la **Ratti** des de l'abeurador d'ocells—. L'hem de tancar a la presó per sempre més!

Tots els ulls es van girar cap al rosegador. Hi va haver un breu moment de calma abans que tots els gossos se li llancessin a sobre.

**—BUB! BUB! BUB!**

Es van aixecar sobre les potes del darrere per intentar agafar-la.

**—BUB! BUB! BUB!**

—SI US PLAU! PAREU! —va cridar el Robo-gos per sobre d'aquell xivarri.

Al final, els gossos es van calmar, i només se sentien alguns gemecs.

—Aquesta és la meva amiga **Ratti**. És un ratolí.

—Un què? —va preguntar una veu al fons de tot.

—Ja m'has sentit, un ratolí. I no li podeu fer cap mal.

—Podem jugar a futbol amb ella? —va preguntar una altra veu.

—NO! Ara mateix no seríem aquí, si no fos per la **Ratti**. És una heroïna!

Es van sentir murmuris de decepció entre els gossos.

—A VEURE, QUI VOL ANAR A CAPTURAR ELS DOLENTS? —va preguntar el Robo-gos.

Hi va haver una onada de lladrucs d'aprovació.

**—BUB! BUB! BUB!**

—DONCS SEGUIU-ME!

Esperonats per l'emoció de l'aventura, els gossos van arribar a **BATIBULL** en un moment. La baralla entre els dolents ja arribava al final. Tots els malvats i malvades estaven estiregassats per terra, esgotats. Aquell indret de **BATIBULL** havia quedat destrossat per culpa de la batussa èpica. Només quedava un dolent dempeus: **L'OGRE DELS DOS CAPS**, és clar. Continuaven clavant-se cops de puny a la cara.

PAM! PAM!

PAM!

L'Ogre va tentinejar.

Encara es van donar un altre cop de puny...

PAM!

... abans de caure a terra.

# PLAF!

Van ser captures fàcils per als gossos policia. En equips de tres, van arrossegar els superdolents a la presó de **BATIBULL**.

—*GRRR!*

El Robo-gos va gaudir molt quan li van encarregar que portés la Velma cap a la presó! Quan van arribar a l'entrada, la professora va intentar obrir la superarmadura per treure'n la Velma de dins, perquè pogués passar per la porta. Però just en aquell moment la gata va esbatanar els ulls.

—FFFS! —va xiuxiuejar.

—VELMA! —va exclamar la professora.

—Només estava fingint que m'havia desmaiat! —va dir la gata—. Ara us destruiré a tots!

Dit això, la Velma va apuntar el seu últim coet cap al grup.

—Què fem, professora? —va preguntar el Robo-gos mentre tots els gossos alçaven les potes en senyal de rendició.

—No ho sé! —va cridar la professora—. Jo sé dissenyar rentadores, no armadures per a superdolents!

Tanmateix, les dues coses eren molt semblants.

—Ja ho sé! —va exclamar el Robo-gos—. Posem-la en un cicle de centrifugat!

—SÍ! —va dir la **Ratti**.

Va saltar de sobre el Robo-gos i va prémer un botó de la superarmadura de la Velma.

Immediatament, la gata va començar a donar voltes dins l'armadura. Primer a poc a poc, i després cada vegada més ràpid.

*FIUUU!*

—AAAAAAH! —va cridar.

Però ara ningú no la podia ajudar. I, per tant, va continuar girant i girant i girant.

*FIUUUUUUU!*

I girava tan ràpid que va sortir volant.

*ZIIIUUUU!*

Va sortir fent voltes en l'aire. Va continuar fent voltes sobre els núvols, i després a l'espai. No va parar de fer voltes fins que va arribar a la lluna i va caure just a sobre del Nafrat.

CLUNC!

Des del planeta Terra, els gossos van fer un crit d’alegria.
—BUB!

Amb tots els **superdolents** de **BATIBULL** a la presó, la comissària es va adreçar als gossos.

—Bona feina, gossos! —va començar—. Aquesta nit, cadascun de vosaltres ha demostrat ser un **heroi**!

**—BUB!**

—He decidit que demà a primera hora del matí fareu la **desfilada de graduació**!

Els gossos no s'ho podien creure.

—Aquesta nit tots heu superat les proves amb una nota excel·lent, especialment la **Patrulla Inútil**, que rebrà una medalla especial per la seva valentia!

**—BUB!**

—Però l'agraïment més gran és per... al ROBO-GOS!

**—BUB!**

—van fer els altres gossos.

La comissària, la professora i el Robo-gos es van abraçar.

L'ull del robot va quedar negat amb una petita gota d'oli.

—No estic pas trist. No sé per què estic plorant —va dir.

—Jo sí —va dir la professora, eixugant-se les llàgrimes—. És perquè estàs content.

—Oh, no! —va exclamar la **Ratti**, posant-se a plorar—. Ara m'ho heu encomanat a mi!

UÀ! UÀ! UÀ!

CAPÍTOL VINT-I-CINC

# LA DESFILADA DE GRADUACIÓ

La **desfilada de graduació** va anar perfecta. Tots els candidats van ser nomenats oficialment gossos policia, preparats per entrar en servei de manera immediata. La professora va seure tota orgullosa a primera fila, envoltada d'agents de policia uniformats desitjosos de formar parella amb algun d'aquells gossos heroics.

La comissària era dalt d'un escenari que tenia unes petites passarel·les perquè els gossos poguessin pujar i baixar en ordre. Cada gos saludava la comissària amb la pota abans de tornar al seu lloc amb el grup. Després que un centenar de gossos fossin rebuts al cos de policia amb aplaudiments fervorosos, la comissària es va adreçar a un grup encara més especial.

Amb un somriure radiant va anunciar:

—I ara, ha arribat el moment de concedir l'honor més gran que se li pot atorgar a un gos policia. Em refereixo als gossos coneguts com la **Patrulla Inútil**...

Mentre continuava amb el discurs, els tres gossos semblaven incòmodes.

—No ens mereixem cap medalla. Jo soc un covard —va dir el Poruki.

—I jo un gandul —va afegir el Manta.

—I jo soc la sòmines, oi? —va preguntar la Toixa—. No me'n recordo mai.

La **Ratti** va saltar de l'esquena del Robo-gos i els va parlar un per un:

—No sou res d'això que dieu. Poruki, vas demostrar molta valentia amb els dolents. Vas lluitar contra el Pavarotti, el gat més gran i més dolent de tots.

Jo no hi veig pas covardia, aquí. Tu, Manta, vas fer un salt desafiador per defensar el teu amic, i no hi veig pas gens de mandra, en això. I pel que fa a tu, Toixa, vas ser la que va dir als dolents que l'única manera de resoldre els seus conflictes era lluitant entre ells. Cosa que ens va estalviar a nosaltres haver de lluitar! No trobes que va ser una idea brillant?

—Ben dit, **Ratti**! —va exclamar el Robo-gos—. Gaudiu de la vostra medalla! Us la mereixeu.

Mentrestant, la comissària ja acabava el discurs.

—Per tant, donem la benvinguda a l'escenari a la que ja no és la **Patrulla Inútil**, sinó tres exemples de valentia, dedicació i intel·ligència: el Poruki, el Manta i la Toixa!

Els tres gossos van somriure al Robo-gos i a la **Ratti** mentre els penjaven la medalla al coll.

—I ara demano que pugi a l'escenari el nostre fitxatge més nou, la creació de la meva intel·ligent i preciosa esposa, la professora, per poder nomenar-lo oficialment gos policia. Si us plau, donem la benvinguda al Robo-gos!

Tothom present al **pati d'armes** es va aixecar per oferir a aquell robot heroic l'ovació que es mereixia.

—Robo-gos? —va cridar la comissària—. ROBO-GOS?

Però el gos robot no era enlloc.

—**Ratti**? —va preguntar la comissària—. On s'ha ficat?

Però la rata va arronsar les espatlles.

—No en tinc ni idea!

CAPÍTOL VINT-I-SIS

# AMOR

Aquella tarda, la comissària i la professora van arribar a la seva casa de camp completament abatudes. El gran moment que la comissària havia planejat per a la genial creació de la seva dona se n'havia anat en orris. A més, tenien una profunda sensació de pèrdua; s'havien quedat sense part de la família. Per tant, ja et pots imaginar la seva sorpresa quan van entrar a la sala d'estar i van trobar el Robo-gos assegut a la vora del foc!

—ROBO-GOS! —van exclamar.

Van córrer totes dues a abraçar-lo.

—Estàvem molt amoïnades —va dir la professora.

—T'has perdut la **desfilada de graduació**! —va afegir la comissària.

—Ja ho sé —va contestar el robot—, però he estat pensant. I sentint.

—Sentint? —va preguntar la professora.

—Sí. Sentint. I en la meva curta vida he après que els sentiments són més profunds que els pensaments. Bé, ja sé que això potser sembla ridícul...

—Parla! —va suplicar la comissària.

—... però ja no vull ser un gos policia. Simplement vull ser el vostre gos. La vostra mascota.

—Però per què? —va dir la comissària—. Si podries ser el millor gos policia de la història de la humanitat!

—Perquè vull sentir una cosa que senten els gossos reals.

—Què és? —va preguntar la comissària.

—Em sembla que ja ho sé —va dir la professora amb un somriure.

—Bé... —va dir el robot—, potser us sembla insignificant, però suposo... que vull... amor.

—Amor?

—Sí. Si puc estimar i ser estimat, ha de voler dir que soc un gos de debò.

La professora va mirar la comissària i va alçar les celles.

—T'estimem moltíssim, Robo-gos —va dir la comissària.

—Jo també a vosaltres.

Finalment. Era un gos de debò.

# EPÍLEG

Aquella nit, mentre el Robo-gos dormia als peus del llit de les seves mares, el van despertar uns copets a la finestra. S'hi va atansar, va apartar les cortines i llavors va veure qui era. La **Ratti**.

El Robo-gos va obrir la finestra.

—Què vols a aquestes hores? —va preguntar el gos—. És més de mitjanit!

—Ha anat tot bé amb les dues senyores?

—Sí —va respondre el gos, amb un somriure radiant.

—Ja t'ho he dit. T'he cobert al **pati d'armes** i no els he xerrat res de res.

—Estava segur que m'havien sentit excavar sota terra.

—No han sentit res de res!

—Doncs per què has vingut?

La **Ratti** va somriure.

—Bé, ja sé que soc només una humil rata, vull dir ratolí...

—No cal que fingeixis amb mi! Ho sabia des de bon principi!

—Rata, doncs! —va dir la **Ratti**—. Ja has descobert el meu secret!

El gos va riure.

—Xxxt! —va fer la rata—. Despertaràs les teves mares!

—Ai, sí!

—Bé, doncs ja sé que només soc una humil rata, però m'agradava tota aquella bestiesa del gos policia.

El gos va somriure.

—A mi també!

—Ja m'ho pensava que diries això, i em preguntava si...

—Sí? —va dir el gos, impacient.

—Bé, em preguntava si t'agradaria fer una mica de patrulla policial nocturna de tant en tant.

—Ara?

—Sí! Ara! I demà a la nit també. I demà passat. I l'altre.

—SÍ! —va exclamar el gos.

—Fantàstic! S'ha de vetllar per la seguretat dels carrers de **BATIBULL**!

—Sí, i ho farà el Robo-gos, el futur de la lluita contra el crim!

—I la seva sequaç de confiança, **Ratti** la rata.

—Vinga, puja! —va dir el gos.

La rata va fer un somriure d'orella bruta a orella bruta i es va enfilar a l'esquena del seu amic.

—Anem a capturar uns quants dolents! —va dir la **Ratti**.

—No se m'acut cap idea millor! —va contestar el Robo-gos.

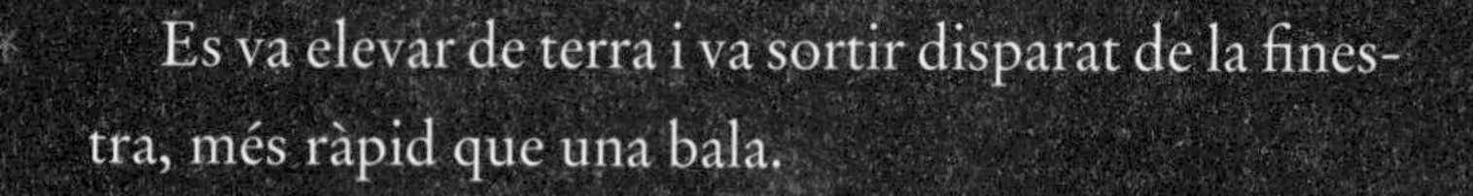

Es va elevar de terra i va sortir disparat de la finestra, més ràpid que una bala.

*FIU!*

Van travessar volant el cel nocturn, amb la ciutat de **BATIBULL** plena de criminals sota seu.

L'aventura els esperava.

Aquesta nit, i totes.